LES FIANÇAILLES DE MONSIEUR HIRE

Georges Simenon, écrivain belge de langue française, est né à Liège en 1903. Il décide très jeune d'écrire. Il a seize ans lorsqu'il devient journaliste à *La Gazette de Liège*, d'abord chargé des faits divers puis des billets d'humeur consacrés aux rumeurs de sa ville. Son premier roman, signé sous le pseudonyme de Georges Sim, paraît en 1921 : *Au pont des Arches, petite histoire liégeoise*. En 1922, il s'installe à Paris avec son épouse peintre Régine Renchon, et apprend alors son métier en écrivant des contes et des romans-feuilletons dans tous les genres : policier, érotique, mélo, etc. Près de deux cents romans parus entre 1923 et 1933, un bon millier de contes, et de très nombreux articles...

En 1929, Simenon rédige son premier Maigret qui a pour titre : *Pietr le Letton*. Lancé par les éditions Fayard en 1931, le commissaire Maigret devient vite un personnage très populaire. Simenon écrira en tout soixante-douze aventures de Maigret (ainsi que plusieurs recueils de nouvelles) jusqu'à *Maigret et Monsieur Charles*, en 1972.

Peu de temps après, Simenon commence à écrire ce qu'il appellera ses « romans-romans » ou ses « romans durs » : plus de cent dix titres, du *Relais d'Alsace* paru en 1931 aux *Innocents*, en 1972, en passant par ses ouvrages les plus connus : *La Maison du canal* (1933), *L'homme qui regardait passer les trains* (1938), *Le Bourgmestre de Furnes* (1939), *Les Inconnus dans la maison* (1940), *Trois Chambres à Manhattan* (1946), *Lettre à mon juge* (1947), *La neige était sale* (1948), *Les Anneaux de Bicêtre* (1963), etc. Parallèlement à cette activité littéraire foisonnante, il voyage beaucoup, quitte Paris, s'installe dans les Charentes, puis en Vendée pendant la Seconde Guerre mondiale. En 1945, il quitte l'Europe et vivra aux États-Unis pendant dix ans ; il y épouse Denyse Ouimet. Il regagne ensuite la France et s'installe définitivement en Suisse. En 1972, il décide de cesser d'écrire. Muni d'un magnétophone, il se consacre alors à ses vingt-deux *Dictées*, puis, après le suicide de sa fille Marie-Jo, rédige ses gigantesques *Mémoires intimes* (1981). Simenon s'est éteint à Lausanne en 1989. Beaucoup de ses romans ont été adaptés au cinéma et à la télévision.

GEORGES SIMENON

Les Fiançailles de Monsieur Hire

PRESSES DE LA CITÉ

1

La concierge toussota avant de frapper, articula en regardant le catalogue de La Belle Jardinière qu'elle tenait à la main :

— C'est une lettre pour vous, monsieur Hire.

Et elle serra son châle sur sa poitrine. On bougea derrière la porte brune. C'était tantôt à gauche, tantôt à droite, tantôt des pas, tantôt un froissement mou de tissu ou un heurt de faïences, et les yeux gris de la concierge semblaient, à travers le panneau, suivre à la piste le bruit invisible. Celui-ci se rapprocha enfin. La clef tourna. Un rectangle de lumière apparut, une tapisserie à fleurs jaunes, le marbre d'un lavabo. Un homme tendit la main, mais la concierge ne le vit pas, ou le vit mal, en tout cas, n'y prit garde parce que son regard fureteur s'était accroché à un autre objet : une serviette imbibée de sang dont le rouge sombre tranchait sur le froid du marbre.

Le battant de la porte la refoulait doucement. La clef tourna encore et la concierge descendit les quatre étages en s'arrêtant de temps en temps pour réfléchir. Elle était maigre. Ses vêtements pendaient autour d'elle comme autour des bâtons en croix qui servent de squelette aux épouvantails et son nez était humide, ses paupières rougies, ses mains gercées par le froid.

Au-delà de la porte vitrée de la loge, une petite fille, en combinaison de flanelle, était debout devant une chaise qui supportait une cuvette d'eau. Son frère, déjà habillé, s'amusait à l'éclabousser et, près d'eux, la table n'était pas desservie.

Il y eut le bruit net de la porte ouverte. Le gamin se retourna. La fillette montra un visage mouillé de larmes.

— Attendez voir...

Une gifle pour le garçon, que sa mère poussa dehors.

— Toi, file à l'école. Et toi, si tu pleures encore...

Elle secoua la petite et lui passa sa robe en lui tirant les bras comme à une marionnette. Puis elle cacha la cuvette d'eau savonneuse dans le placard, marcha vers la porte, revint sur ses pas.

— As-tu fini de renifler ?

Elle pensait. Elle hésitait. Son front était plissé, ses petits yeux inquiets. Elle adressa machinalement un signe de tête au locataire du second qui passait devant la loge et soudain, endossant un second châle, elle se précipita vers la rue après avoir fermé à moitié la clef du poêle.

Il gelait. Sur la route de Fontainebleau, qui traverse Villejuif, les autos roulaient lentement, à cause du verglas, et les radiateurs exhalaient de la vapeur. A cent mètres à gauche, c'était le carrefour, avec son bistro de chaque côté, son agent au milieu, des rues animées de banlieue jusqu'aux portes de Paris, des tramways, des autobus et des voitures. Mais à droite, deux maisons plus loin, tout de suite après le dernier garage, c'était déjà la grand-route, la campagne, des arbres et des champs blancs de gel.

La concierge grelottait, hésitait encore. Elle fit un petit geste pour appeler un homme debout au coin de la rue, mais il ne la vit pas et alors elle courut, toucha son bras.

— Venez un moment.

Elle rentra dans la maison sans s'inquiéter de lui, souleva sa fille par un bras et l'assit sur une chaise, dans un coin, pour la mettre hors du chemin.

— Entrez. Ne restez pas là, car il pourrait vous voir.

Elle était essoufflée ou très émue. Son regard allait du couloir à l'homme d'une trentaine d'années qui avait gardé son chapeau sur sa tête.

— Hier, j'hésitais encore, mais je viens de

9

voir quelque chose et je donnerais ma tête à couper que c'est M. Hire.

— Lequel est-ce ?

— Un petit, un peu gros, avec des moustaches frisées, qui porte toujours une serviette noire sous le bras.

— Que fait-il ?

— On ne sait pas. Il part le matin et rentre le soir. Je lui ai monté un catalogue et, pendant que la porte était entrouverte, j'ai aperçu une serviette pleine de sang...

Il y avait quinze jours que l'inspecteur, avec deux collègues, passait ses jours et parfois ses nuits dans le quartier, à observer tout le monde, et il commençait à connaître les gens de vue.

— Et à part cette serviette... commença-t-il.

La concierge souffrait.

— C'est dès le premier jour, le dimanche, vous vous souvenez, que j'ai pensé à lui. On venait de découvrir la femme dans le terrain vague. Votre collègue m'a questionnée comme toutes les concierges. Eh bien, M. Hire n'est pas sorti ce jour-là ! Donc, il n'a pas mangé car, le dimanche, il va chercher ce qu'il lui faut à la charcuterie de la rue Gambetta. L'après-midi, il n'a pas bougé. Attention...

On entendait des pas dans l'escalier. De l'autre côté de la porte vitrée, le couloir était obscur, mais on vit néanmoins passer un homme de petite taille qui portait une serviette sous le bras gauche. La concierge et l'inspecteur se penchèrent, froncèrent en même temps les sourcils, puis le policier sortit vivement, fit quelques pas en courant jusqu'à la lumière glauque de la rue, revint sans se presser.

— Il porte une large bande de taffetas sur la joue.

— J'ai vu.

Les yeux durs de la concierge regardaient très loin, plutôt en dedans qu'en dehors.

— Alors, ce n'est pas ça, poursuivit l'homme prêt à s'en aller.

Mais une main fébrile s'accrochait à son bras. La concierge souffrait de plus en plus, peut-être de l'effort qu'elle faisait pour se souvenir.

— Attendez ! Je voudrais être sûre... J'ai surtout regardé l'essuie-mains et pourtant...

Elle grimaçait comme un médium en transes. Sa voix se fit lente et basse. La gamine se laissait glisser de sa chaise.

— Je jurerais que quand je lui ai remis le catalogue il n'était pas blessé. Je ne le regardais pas en face, mais je le voyais quand même et il me semble que cela m'aurait frappée...

Elle fouillait toujours, éperdument, dans sa cervelle. L'inspecteur plissait le front.

— Tiens ! Tiens ! Il aurait vu que vous

11

regardiez la serviette et il aurait eu l'idée de...

Dans la loge, près de la table couverte d'une toile cirée brune, ils s'impressionnaient l'un l'autre. Ils n'étaient pas à deux cents mètres du terrain vague où, quinze jours plus tôt, un dimanche matin, on avait découvert le cadavre d'une femme tellement mutilé qu'on n'avait pu l'identifier.

— A quelle heure rentrera-t-il ?

— A sept heures dix.

A droite du carrefour, près du terminus des tramways, s'alignaient des petites charrettes, et M. Hire, la serviette sous le bras, se faufilait en se dandinant entre les ménagères, voyait défiler un étal de boucher, puis des légumes, puis de la viande encore, puis une charrette rien que de choux-fleurs. Le receveur du tramway siffla et M. Hire courut comme ceux qui ne sont pas habitués à courir, et comme les femmes, en jetant les jambes de côté. Tout en courant il faisait :

— Pssst !... Pssst !...

Le bras du receveur le cueillit juste à temps. Debout près de la première voiture, un second inspecteur examinait les gens tout en frappant les mains sur ses flancs pour se réchauffer. En voyant le taffetas de M. Hire, il fit de petits yeux, puis de très grands, plongea un instant le regard dans la perspective de la route et enfin, au moment où le tramway s'ébranlait, sauta sur le marchepied.

On avait trouvé du sang et même des fragments d'épiderme sous les ongles de la morte et, faute d'autre piste, on avait noté au rapport : « A surveiller particulièrement les hommes qui ont des égratignures au visage. »

M. Hire était assis à la place qu'il occupait tous les jours, celle du fond de la voiture et, sa serviette à plat sur les genoux, il lisait le journal. Comme tous les jours aussi, il avait préparé son billet qu'il tenait à la main et qu'il tendit au receveur sans même lever les yeux.

Il n'était pas gros. Il était gras. Son volume ne dépassait pas celui d'un homme très ordinaire, mais on ne sentait ni os, ni chair, rien qu'une matière douce et molle, si douce et si molle que ses mouvements en étaient équivoques.

Dans la rondeur de son visage, se dessinaient des lèvres bien rouges, de petites moustaches frisées au fer, comme dessinées à l'encre de Chine et, sur les pommettes, des roseurs régulières de poupée.

Il ne regardait rien autour de lui. Il ne savait pas qu'un inspecteur l'observait. A la porte d'Italie, il descendit comme si son instinct l'eût averti qu'on était à destination et il se faufila à nouveau dans la cohue, sautillant, sûr de lui, dandinant les épaules, descendit les marches du métro et, au bord du quai, reprit la lecture de son journal.

C'est en lisant qu'il entra dans la voiture dès qu'elle s'arrêta, en lisant qu'il fit le voyage, debout dans un coin, changea de ligne à la République et descendit enfin à la station Voltaire.

L'inspecteur suivait toujours, sans conviction, mais il n'était pas plus mal là qu'au carrefour de Villejuif.

M. Hire prit la rue Saint-Maur, tourna à gauche et s'enfonça dans une cour encombrée de barriques au fond de laquelle il disparut.

C'était une vieille cour, une vieille maison. Des plaques d'émail annonçaient un marchand de fûts, un menuisier et un imprimeur. On entendait le bruit d'une scie et celui d'une presse. L'inspecteur ne vit pas de concierge et resta un moment à hésiter sur le trottoir. Ce fut un reflet rougeâtre sur les pavés qui le frappa. En se retournant, il constata que des fenêtres grillagées, au ras du sol, s'étaient éclairées et il aperçut du même coup M. Hire qui retirait son pardessus, son cache-col, les rangeait dans un placard et s'avançait vers une table de bois blanc.

Ce n'était pas tout à fait une cave, ni tout à fait un rez-de-chaussée. La cour était en contrebas et la pièce où évoluait M. Hire se trouvait par le fait à un mètre en dessous du

14

sol. C'était drôle, car le trottoir coupait ainsi le bonhomme à hauteur du ventre. Il n'y avait au plafond qu'une mauvaise ampoule électrique, sans abat-jour, qui créait une ambiance jaunâtre et on n'entendait rien de ce qui se passait à l'intérieur.

M. Hire était calme et quiet. Assis devant une pile de lettres, il les ouvrait une à une, à l'aide d'un coupe-papier, soigneusement. Il ne les lisait pas, se contentait de mettre à sa droite les lettres proprement dites et à sa gauche le mandat que contenait chaque enveloppe. Il ne fumait pas. Deux fois il se leva pour recharger un petit poêle.

L'inspecteur fit le tour de la cour à la recherche d'une concierge, mais le typo-graphe lui dit qu'il n'y en avait pas. Quand il revint sur le trottoir, M. Hire, derrière sa fenêtre grillagée, juste sous celle-ci, faisait des paquets avec des gestes précis. Il est vrai que tous les paquets étaient les mêmes.

M. Hire prenait d'une part une boîte en bois blanc, de l'autre une feuille imprimée, enfin six cartes postales appartenant à six tas différents et, en un tournemain, enveloppait le tout, nouait une ficelle rouge dont la pelote pendait à hauteur de sa tête.

L'homme de la police alla boire deux rhums au bistro. Quand il revint, il y avait une vingtaine de paquets terminés. A midi, il y en avait soixante.

Et M. Hire s'habilla lentement, parut sur

le trottoir, se dirigea vers un restaurant du boulevard Voltaire où il s'installa comme un habitué et mangea en lisant le journal.

A deux heures, il faisait à nouveau des paquets. A trois heures et demie, il écrivit des adresses sur des étiquettes et vers quatre heures, il commença à coller celles-ci.

De tous les petits colis, il fit alors un gros et à cinq heures précises il entrait au bureau de poste et prenait son tour devant le guichet des « imprimés recommandés ».

Le préposé ne pesa même pas. Il avait l'habitude. M. Hire paya et sortit, n'ayant plus que sa serviette à porter. L'inspecteur s'ennuyait. A cause du froid il avait bu, depuis le matin, neuf ou dix verres de rhum.

Or, M. Hire n'avait pas fini. Avec la même précision mécanique, il prenait un autobus, descendait en face du *Matin*, tendait une feuille de papier et trente francs à l'employée des petites annonces qui ne le regardait même pas tant, sans doute, elle l'avait déjà vu de fois.

Les boulevards étaient plus déserts que d'habitude. Les gens se groupaient autour des braseros. Le gel blanchissait l'asphalte. M. Hire marchait en se balançant, sans voir les femmes qui le frôlaient. Il s'engagea rue de Richelieu, entra au *Journal*, posa sur le guichet des petites annonces un feuillet préparé et trente francs.

L'inspecteur en avait assez. Au risque de

perdre son homme, il se précipita vers le guichet dès que l'autre l'eut quitté, montra sa carte.

— Remettez-moi l'annonce.

L'employée la lui tendit tout naturellement. Le texte était d'une belle écriture.

Quatre-vingts à cent francs par jour sans quitter emploi par travail facile. Ecrire M. Hire, 67, rue Saint-Maur, Paris.

Les deux hommes se retrouvèrent à l'entrée du métro Bourse où ils s'enfoncèrent l'un derrière l'autre. L'un derrière l'autre, toujours, ils émergèrent du souterrain à la porte d'Italie. M. Hire lisait un journal du soir. L'inspecteur le regardait méchamment.

Dans le tramway, ils furent assis côte à côte. Il était sept heures cinq quand M. Hire descendit au terminus de Villejuif et se dirigea vers sa maison, où il entra le plus innocemment du monde.

L'inspecteur entra derrière lui, poussa la porte vitrée de la loge, grogna à l'adresse de son collègue qui buvait un bol de café chaud :

— Qu'est-ce que tu fais ici ?

— Et toi ?

Le gamin faisait ses devoirs sur un coin de la table. La lampe éclairait mal. Le facteur venait de déposer une pile d'imprimés sur la toile cirée, à côté de la cafetière en émail bleu.

— M. Hire ?

— Toi aussi ?

La concierge les regardait l'un après l'autre, les traits douloureusement tirés.

— Vous croyez que c'est lui, n'est-ce pas ? Mon Dieu !...

Elle allait pleurer. Elle pleurait. Ce n'étaient encore que des larmes nerveuses, mais ses mains maigres tremblaient.

— J'ai peur... Ne vous en allez pas... Depuis quinze jours, je ne vis plus...

Son fils l'observait par-dessus son cahier. La gamine était assise par terre.

— Une tasse de café ? proposa l'inspecteur installé le premier.

Et il servit son camarade.

— Qu'est-ce qui t'a mis sur la piste ?

— La cicatrice... Puis son métier... C'est un des types qui promettent je ne sais combien par jour pour un travail facile et qui, moyennant cinquante ou soixante francs, envoient aux gens une boîte d'aquarelle qui en vaut vingt et six cartes postales à colorier...

La concierge en était déçue. Le premier inspecteur, debout, remplissait la loge de sa masse.

— Il paraît qu'il y a un linge sanglant. Ce que je voudrais savoir, c'est s'il est réellement blessé.

Ils ne savaient que faire. L'un se versa encore un peu de café.

— Je n'oserais plus le rencontrer dans l'escalier, haleta la concierge. D'ailleurs, j'ai toujours eu peur de lui. Et tout le monde !...

— Il ne sort pas ?

— Rien que le dimanche. Je crois qu'il va au cinéma.

— Il ne reçoit personne ?

— Personne.

— Et qui fait son ménage ?

— C'est lui. Je n'ai jamais pu entrer dans son logement. C'est sûrement par erreur que ce matin il a reçu un catalogue, car c'est la première fois et j'ai voulu en profiter pour voir. J'ai crié à travers la porte que c'était une lettre...

Les deux hommes se regardaient avec embarras.

— Il faut que vous fassiez quelque chose, que vous l'arrêtiez, je ne sais pas, moi ! Mais je ne peux plus vivre avec l'idée que... Tenez, quand il passe, il a l'habitude de caresser la tête de ma petite. Eh bien, cela me fait peur, comme si...

Elle pleurait pour de bon, sans s'essuyer les yeux, car elle rechargeait le poêle. On entendait la rumeur des autos qui passaient sur la route, les sonneries plus lointaines des tramways. Il faisait chaud, mais on avait les pieds glacés.

— Si on montait sous un prétexte ?

Ils n'étaient pas à leur aise.

— Il vaudrait peut-être mieux le faire descendre. Allez donc lui dire que quelqu'un demande à lui parler.

— Moi ? Jamais ! Non, jamais !...

Elle tremblait, pleurait sans conviction, à petits coups.

— Je n'ai même pas un mari pour me défendre. La nuit, ici, tout est mort, à part les autos qui passent à des cent kilomètres à l'heure...

Elle mit sa fille debout, d'un seul mouvement.

— Assieds-toi sur une chaise.

— Vous êtes sûre que ce matin il n'avait pas sa blessure ?

— Je ne sais pas. Je crois. Mais je le jurerais. J'y ai pensé toute la journée, au point que j'en ai mal à la tête...

— On monte, vieux ?

Ce n'était pas la peine. Quelqu'un descendait l'escalier. La concierge tendit l'oreille, se précipita vers la porte qu'elle ouvrit.

— Monsieur Hire !

Elle grelottait, restait derrière la porte ouverte, regardait les deux hommes comme pour leur dire :

— A votre tour, maintenant.

— Pardon...

M. Hire s'excusait, hésitait sur le seuil, faisait deux pas en avant, étonné, gêné.

— Qu'est-ce que... ?

Il ne voyait pas la concierge que lui cachait le battant. Les inspecteurs se poussaient du coude. La petite fille, soudain, éclatait en sanglots en le regardant.

— On m'a appelé ?

— Un hasard. Ma cousine me dit que vous êtes blessé...

C'était le premier inspecteur qui se lançait tête basse dans l'aventure. Il était pâle, avalait sa salive entre les mots.

— Je suis infirmier et...

Et pour en finir, il tendit une main brutale, maladroite, saisit l'angle du taffetas qu'il arracha. On était l'un sur l'autre dans la loge étroite. La petite fille cria plus fort.

Quant à M. Hire, il porta la main à sa joue et la retira laquée de sang. Il en avait déjà sur le col, sur l'épaule. Le sang jaillissait, rouge et fluide, tandis que les lèvres de la plaie s'écartaient progressivement sous sa poussée.

— Qu'est-ce que...

La concierge étreignait ses doigts à les casser. L'inspecteur s'affolait devant cette coupure fraîche et nette de rasoir.

— Excusez-moi... Je...

Il cherchait le robinet, un linge, n'importe quoi, pour étancher le sang, pour en finir. M. Hire avait des yeux tout ronds, des prunelles brunes. Il regardait tour à tour les occupants de la loge et ne savait pas davantage comment faire pour arrêter tout ce sang dont il y avait maintenant de grosses gouttes sur le ciment.

Le gamin était toujours à sa place, la plume en l'air, devant le cahier. Sa sœur se roulait par terre.

— C'est... c'est une maladresse... si vous voulez me permettre d'aller vous soigner...

M. Hire était défiguré par ce sang qui maculait sa joue et qui coulait sur son menton comme si sa bouche eût été fendue. Et il était ému. Les disques roses de ses pommettes s'étaient éteints.

— Merci...

Il avait encore l'air de s'excuser, comme le monsieur qui salit sans le vouloir la maison de ceux qui l'invitent. Il se heurta au chambranle de la porte.

— Restez... Je vais...

L'inspecteur avait trouvé un drap de cuisine et le tendait.

— Merci... merci... pardon...

Il s'était déjà enfoncé dans l'obscurité froide du couloir et on l'entendait monter, lourd, hésitant, on croyait deviner les gouttes de sang qui tombaient sur les marches.

— Mais tais-toi donc ! hurla soudain la concierge en giflant sa fille.

Elle avait les cheveux défaits, le regard vague. Elle secoua le gamin.

— Et toi qui restes là, sans rien dire !

Les inspecteurs ne savaient où se mettre.

— Calmez-vous. Dès demain, le commissaire...

— Vous croyez que je vais passer la nuit toute seule ici ? Vous croyez ça ?

On sentait venir la crise de nerfs. Ce n'était plus qu'une question de secondes. Elle eut un haut-le-corps en mettant la main, par mégarde, sur une goutte de sang qui s'était aplatie sur la table.

— On restera... Enfin, un de nous deux...

Elle ne savait pas encore si elle allait s'apaiser. Elle les regardait et ils essayaient de prendre un air ferme.

— Va faire le rapport, toi.

L'eau bouillait depuis un quart d'heure. Les vitres étaient couvertes de buée.

— Mais tu reviens, hein !

La concierge retirait la bouilloire, secouait les charbons rouges du bout du tisonnier.

— Il y a quinze jours que je ne dors plus, conclut-elle. Vous l'avez vu. Je ne suis pas folle...

2

Quand le sang cessa enfin de couler, M. Hire fut obligé de marcher avec précaution, la tête bien droite, pour ne pas rouvrir la plaie. Une pointe de ses moustaches tombait et le sang mêlé d'eau avait étendu sur son visage un lavis rose d'aquarelle.

M. Hire vida d'abord la cuvette, qu'il essuya à l'aide d'un torchon. Son regard s'arrêta ensuite sur un poêle de fonte qui était froid. A part l'immobilité de la tête, qu'il portait comme un corps étranger, il était le même homme que dans le tramway, dans le métro ou dans la cave de la rue Saint-Maur, calme et mesuré dans tous ses gestes qui semblaient aussi ordonnés que les rites successifs d'une cérémonie.

Il prit un journal dans la poche de son pardessus et, après l'avoir froissé, le poussa au fond du poêle. Sur le marbre noir de la cheminée, il y avait une botte de petit bois qu'il dispersa sur le papier. Il était enveloppé de silence et de froid. Les seuls bruits étaient ceux qu'il faisait en heurtant le tisonnier ou le seau à charbon. Il se mit à genoux, la tête toujours droite, le cou raide, pour glisser une allumette sous la grille et enflammer le papier. Il tâtonnait. Il frotta trois allumettes avant de réussir et de la fumée gicla de toutes les fissures du poêle.

Il faisait plus froid dans la chambre qu'au-dehors. En attendant la chaleur du feu, M. Hire remit son pardessus, un gros pardessus de ratine noire à col de velours, et il ouvrit le placard qui lui servait de cuisine, alluma un réchaud à gaz, versa de l'eau dans une casserole. Sa main rencontrait les objets sans les chercher. Il posa un bol sur la table, un couteau, une assiette, puis il réfléchit, remit l'assiette dans l'armoire, sans doute parce qu'il se souvenait que l'incident de la loge l'avait empêché de faire son marché.

Il lui restait du pain et du beurre. Il prit du café moulu dans une boîte à biscuits, fronça les sourcils, regarda le poêle qui ne fumait plus, n'émettait plus son ronflement. Le bois était consumé et le charbon n'avait pas pris. Il n'y avait plus de bois sur la cheminée. M. Hire sourcilla, puis versa l'eau bouillante du réchaud sur le café moulu et se chauffa les mains.

A droite de la chambre, il y avait un lit, un lavabo et une table de nuit ; à gauche, le placard au réchaud et une table couverte d'une toile cirée.

26

Assis devant cette table, M. Hire mangeait du pain beurré, buvait du café, posément, en regardant devant lui. Quand il eut fini, il resta encore un moment immobile, comme incrusté dans le temps, dans l'espace. Des bruits naissaient, faibles et anonymes d'abord, des craquements, des pas, des heurts et c'était bientôt le monde entier, autour de la chambre, qui se résolvait en sons furtifs.

Dans la pièce d'à côté, on entrechoquait des assiettes et on parlait. C'était bizarre, parce que le bruit d'assiettes n'était pas du tout déformé. On croyait l'entendre dans le logement même, tandis que les voix, elles, se fondaient en un murmure très grave et comme mécanique.

En dessous, comme tous les soirs, un gamin jouait du violon : toujours les mêmes exercices de sa méthode. Et là encore une voix de bourdon s'élevait pour le faire recommencer.

Puis c'était la route, l'espèce de sucement progressif d'une auto fonçant du lointain, éclatant devant la maison, vite aspirée par l'espace à l'autre bout de l'horizon. Seuls, les poids lourds gravitaient avec fracas, lentement, à vous suspendre le souffle, tandis que vibrait la maison entière.

Mais tout cela grouillait au-delà des murs. Dans la chambre, c'était un bloc bien compact, bien uni, bien uniforme de silence et

M. Hire, devant sa tasse vide, attendait sans doute la fin du bien-être que lui procurait la chaleur du café.

Alors il se leva, boutonna son pardessus, enroula une écharpe à son cou. Il prit le bol dans lequel il avait bu et le lava sous le robinet, l'essuya avec un drap qui pendait à un clou et le remit dans le placard. Sur un carton que cet usage avait graissé, il ramassa les miettes de pain qu'il jeta dans le poêle, s'approcha du lit qu'il ouvrit.

Qu'est-ce qu'il avait à faire encore ? Remonter le réveille-matin qui formait une tache blanche sur la cheminée et qui marquait huit heures et demie.

C'était tout ? Il retira ses souliers et les cira, assis au bord du lit, le cou toujours raide, la joue gauche en l'air.

C'était bien tout. Le petit garçon recommençait son exercice et l'archet dérapait sur une deuxième corde. A côté, l'homme devait lire le journal à voix haute car le murmure était aussi monotone que le débit d'un robinet.

M. Hire quitta le lit où il était mal assis, s'installa dans le fauteuil, face au poêle éteint, devant le cadran du réveille-matin, et il ne bougea plus, sauf pour enfoncer dans ses poches ses mains qui gelaient sur les accoudoirs.

Neuf heures moins dix... Neuf heures... Neuf heures cinq... Il ne fermait pas les yeux.

28

Il ne regardait rien. Il était là comme dans un train qui ne conduirait nulle part. Il ne soupirait même pas. Un peu de chaleur finissait par se condenser sous son pardessus et il la gardait précieusement tandis que ses orteils, dans les pantoufles, étaient crispés de froid.

Neuf heures vingt... vingt-cinq... vingt-six...

Parfois une porte se fermait brusquement. Des gens descendirent l'escalier dans un tel vacarme qu'ils semblaient trébucher à chaque marche. On arrivait petit à petit à entendre le sifflet de l'agent du carrefour.

Neuf heures vingt-sept... M. Hire se leva, tourna le commutateur électrique et, dans l'obscurité, retrouva son fauteuil d'où il ne voyait plus que les aiguilles vaguement lumineuses du réveil.

Ce ne fut qu'à dix heures qu'il s'impatienta, en ce sens que ses doigts bougèrent dans ses poches. Les locataires d'à côté dormaient, mais ailleurs un bébé criait et sa mère faisait pour le rendormir :

— La... la... la... la...

M. Hire se leva, marcha vers la fenêtre au-delà de laquelle il n'y avait que du noir. Peu après, une lumière jaillit à trois mètres de lui à peine, une fenêtre s'éclaira, une chambre dont on distinguait les moindres détails.

La femme repoussa sa porte d'un coup de pied qui dut déclencher un tonnerre, mais les bruits ne traversaient pas la cour. Elle était pressée, peut-être de mauvaise humeur, car elle releva d'un geste sec les couvertures de son lit pour y introduire une bouillotte qu'elle avait sous le bras.

M. Hire ne bougeait pas. Chez lui, il faisait noir. Il était debout, le front contre la vitre gelée, et seules ses prunelles allaient et venaient, suivant tous les mouvements de la voisine.

Quand elle eut refermé les couvertures, son premier mouvement fut pour libérer ses cheveux qui roulèrent, pas très longs, mais abondants, d'un roux soyeux, sur ses épaules. Et elle se frotta la nuque, les oreilles, dans une sorte d'étirement voluptueux.

Il y avait un miroir devant elle, au-dessus d'une toilette en bois tourné. C'est ce miroir qu'elle regardait, qu'elle continua à regarder en tirant de bas en haut sur sa robe de laine noire pour la faire passer par-dessus sa tête. Puis, quand elle fut en combinaison, elle s'assit au bord du lit pour enlever ses bas.

Même de la chambre de M. Hire, on pouvait voir qu'elle avait la chair de poule et, quand elle n'eut plus qu'une petite culotte sur le corps, elle frictionna longtemps pour les réchauffer ses bouts de sein que le froid ratatinait.

Elle était jeune, vigoureuse. Elle saisit une longue chemise de nuit blanche qu'elle passa avant de retirer sa culotte, se regarda encore dans le miroir, prit des cigarettes dans le tiroir de la table de nuit.

Elle n'avait pas regardé la fenêtre. Elle ne la regarda pas. Déjà elle était dans les draps, un coude sur l'oreiller et, avant de lire le roman posé devant elle, elle allumait lentement une cigarette,

Elle faisait face à la cour, face à M. Hire derrière qui le réveille-matin s'évertuait en vain à battre les secondes et à pousser ses aiguilles phosphorescentes.

Sur le lit, il y avait une couverture rouge. La tête était un peu penchée et cela soulignait le dessin des lèvres charnues, cela raccourcissait encore le front, alourdissait la masse sensuelle des cheveux roux, gonflait le cou, donnait l'impression que la femme toute entière était faite d'une pulpe riche, pleine de sève.

Par-dessus la chemise, sa main, machinalement, continuait à caresser le téton dont on voyait le relief chaque fois qu'elle l'abandonnait pour écarter la cigarette de ses lèvres.

Un déclic du réveil marqua dix heures et demie, un autre onze heures. On n'entendait plus rien que la plainte du bébé qu'on oubliait peut-être de nourrir et parfois le sifflement agressif d'une auto lancée sur la grand-route.

La fille tournait les pages, soufflait sur les cendres qui mouchetaient la couverture afin de les disperser et allumait de nouvelles cigarettes.

M. Hire ne remuait pas, sinon pour gratter la buée que son souffle collait sur la vitre et qui se congelait.

Au-dessus de la cour, dans le ciel invisible, se répandait peu à peu un vaste silence.

Le roman fut fini à minuit et quart et la femme se leva pour éteindre la lumière.

La concierge, cette nuit-là, se leva trois fois et chaque fois elle souleva le rideau pour s'assurer que l'inspecteur arpentait toujours le trottoir blanchi par la bise.

Les vitres couvertes de givre ressemblaient à du verre dépoli. Les mains bleuies, M. Hire lâcha deux fois la brosse dont il époussetait son pardessus, s'agenouilla pour rattacher un lacet de bottine, fit des yeux le tour de la chambre et ferma la porte du placard qui était entrebâillée.

Il n'avait plus qu'à prendre sa serviette et à mettre son chapeau. La clef dans sa poche, il s'engagea dans l'escalier qui craquait car c'était une maison neuve, pas très solide. Pas gaie non plus, parce qu'on avait choisi pour les peintures des gris-fer et des bruns sombres. Le sapin des marches ne voulait pas se patiner. Au milieu, il était sali, presque noir, mais sur les côtés, où l'on ne marchait pas, il restait d'un blanc pauvre. Les murs, au lieu de se culotter, perdaient par-ci par-là des morceaux de plâtre.

Les portes défilaient, la rampe en pitchpin, les bouteilles de lait sur les paliers. Tout cela était sonore. Partout des gens remuaient derrière les murs et certains fracas faisaient penser à des efforts de titans. Mais ce n'étaient que des locataires qui s'habillaient.

Un courant d'air plus perfide annonça l'approche du rez-de-chaussée et M. Hire descendit les dernières marches, tourna à gauche, marqua un imperceptible temps d'arrêt.

La fille aux cheveux roux était là, appuyée à la porte de la loge. Ses joues étaient plus rouges d'être dehors depuis six heures du matin, et aussi à cause du contraste de son tablier blanc. Elle avait encore à la main une demi-douzaine de bouteilles de lait vides dont elle tenait toutes les ferrures à un doigt.

Elle tournait à demi la tête. En entendant des pas, elle la tourna tout à fait et continua sa conversation avec la concierge qui était dans la loge.

M. Hire passa sans regarder. Quand il eut parcouru trois mètres, il y eut derrière lui une poche de silence, et la concierge, fiévreuse, se précipita vers le couloir.

M. Hire marchait toujours. Dans l'air froid, la vie avait un rythme accéléré, les tons blancs devenaient plus blancs, les gris plus clairs, les noirs plus noirs. Il prit son journal au kiosque et pénétra dans la masse humaine qui encombrait le trottoir autour des petites charrettes.

— Pardon...

Ce n'était pas articulé. En réalité, on ne pouvait rien entendre, pas même lui. Mais c'était une habitude, un mouvement des lèvres qu'il avait en passant entre deux femmes, en bousculant quelqu'un, en heurtant le brancard d'une voiture.

— Pardon...

Le tramway était là à attendre et M. Hire pressait le pas, la poitrine en avant, la serviette sur le flanc, finissait par courir comme il courait toujours pour les dix derniers mètres.

— Pardon...

Il ne voyait pas les gens un à un. Il ne distinguait personne. Il entrait dans la foule. Il s'y poussait, il avançait dans un grouillement semé de-ci de-là de vides inattendus, de carrés inoccupés de trottoir, où il marchait plus vite.

Il était assis à sa place, dans le tramway, sa serviette sur les genoux. Il allait déployer le journal. Son regard glissa un instant sur les occupants de la voiture, sans s'arrêter, mais M. Hire fronçait les sourcils, remuait,

34

soudain mal assis, mal à l'aise, maladroit à ouvrir le journal.

Pour un peu, il se fût passé la main sur la joue gauche, tant sa sensation présente se rattachait à une autre, celle de l'arrachement du taffetas, la veille, dans la loge : l'homme qui lui faisait face, à l'autre bout de la voiture, était un des deux compagnons de la concierge.

Il tourna quand même, jusqu'à la porte d'Italie, les pages du journal. Il suivit, comme toujours, la cohue qui s'engouffrait dans le métro. Et, au bord du quai, il reprit sa lecture.

Un fracas grandissant annonça l'arrivée d'une rame. Un wagon s'arrêta devant lui. Des portières claquèrent. Des gens le bousculèrent.

— Pardon...

Il fit un pas en avant, un pas en arrière. Il avait toujours son journal devant lui. Il était sur le quai. Les portières se refermaient, le convoi glissait. Et, dans une des voitures qui passaient au ras de M. Hire, un homme essayait en vain d'ouvrir pour sauter à terre.

L'homme du tramway, de la loge, du taffetas !

Par-dessus le journal, M. Hire regarda la rame s'enfoncer dans l'obscurité puis il fit demi-tour, remonta à la surface et traversa la place, entra enfin dans un petit café où il s'assit près des vitres et commanda du chocolat bien chaud. Il avait les jambes molles comme s'il eût couru longtemps. Il adressa au garçon qui le servait un faible sourire de remerciement.

A midi, il était toujours là, dans la chaleur, à regarder passer des gens et des gens, des milliers qui marchaient, couraient, s'arrêtaient, se rattrapaient, se dépassaient, criaient, chuchotaient tandis que dans le petit bar les garçons scmblaient le faire exprès d'entrechoquer les soucoupes.

3

A cinq heures, M. Hire entrait dans un quatrième bistro, sans avoir quitté l'avenue d'Italie. Du premier petit bar, il était passé dans un restaurant à prix fixe, trois maisons plus loin. Il avait eu une hésitation devant un cinéma, mais il s'était installé au tabac, à l'angle de la première rue.

Cela ne faisait pas deux cents mètres en tout. Maintenant il était assis dans une grande taverne populaire, place d'Italie, au moment même où des musiciens prenaient possession d'une estrade.

— Un café crème, commanda-t-il.

Il n'avait pas retiré son pardessus depuis le matin. Il ne se mettait pas à son aise. Il se tenait au bord de la banquette, comme s'il ne devait rester que quelques instants et, tel quel, il passait des heures sans manifester d'impatience ni d'ennui. Mais il devait penser, sans arrêt, farouchement. Parfois ses yeux couleur de noisette se fixaient sur un point quelconque de l'espace et des frémissements passaient sur le front, les lèvres avaient un mouvement imperceptible, les mains se crispaient dans les poches ou sur le marbre de la table.

Maintenant, il avait tant pensé depuis le matin qu'il pensait à vide. Il y avait toujours des gens qui défilaient, des bruits, des lambeaux de conversation. Sur sa table, il trouva un journal plié en deux et lut à l'envers : *L'affaire de Villejuif.*

Le garçon lui apportait son café crème et M. Hire lui sourit, but la moitié du liquide avant de laisser son regard revenir au journal. Alors, il se leva, se rendit au lavabo rien que pour pouvoir, en passant, retourner la feuille comme par mégarde. Il en profita pour recoller son taffetas et redresser ses petites moustaches.

Revenu à sa place, il compta cinq minutes avant de risquer un coup d'œil vers le journal qui contenait un long article.

... depuis quinze jours... enquête difficile... grand pas, grâce à l'identification du cadavre... probablement une certaine Léonide Pacha, dite Lulu, exerçant le métier de fille de joie... hypothèse d'un crime sadique... toujours possible... mais sac de la victime a disparu... d'après recoupements, il contenait, au moment du crime, deux mille francs...

... piste nouvelle... enquête entre dans une phase définitive... discrétion nécessaire...

L'orchestre commençait *le Beau Danube bleu*. M. Hire, en prenant sa tasse, fit tomber le journal par terre. Sa voisine se baissa pour le ramasser. Il dit : Pardon... pardon... Et il remit le journal sur la table, dans l'autre sens.

— Vous êtes seul ?

Il ne regardait pas la femme, mais il la voyait, assise sur la banquette, devant un bock. Elle se tournait à peine vers lui, par discrétion, et elle ouvrait un petit sac en vernis noir, le tenait à hauteur de son visage pour se poudrer.

— On serait peut-être mieux ailleurs qu'ici, ajouta-t-elle sans remuer les lèvres, tout en l'observant par-dessus le miroir.

Il tapota la table avec une pièce de cinq sous, adressa des signes au garçon.

— Combien ?

— Un franc cinquante. Le bock de mademoiselle aussi ?

Il posa cinq francs sur le marbre et s'en alla. Dehors, toutes les lumières éclataient, se chevauchaient, dessinaient des perspectives verticales et horizontales. Les trottoirs, les tramways, les autobus étaient pleins de foule. M. Hire marchait vers la porte d'Italie, sa serviette sous le bras, de son pas sautillant, se faufilant entre les passants, sans s'arrêter, sans rien voir que des rangs de lampes, des étalages confus et des silhouettes, des têtes indécises qui défilaient à contre-sens.

Il dépassa la porte d'Italie, l'octroi, et il était précédé par le petit nuage gris que formait sa respiration. Les lumières devinrent plus rares et, quand il tourna à droite, il n'y eut plus que les lucioles espacées de quelques becs de gaz. Il avançait toujours à la même cadence et l'écho de la rue vide lui renvoyait le bruit de ses pas. Il prit à gauche et ce fut une rue inachevée, quelques maisons seulement, très hautes, toutes neuves, séparées les unes des autres par des terrains vagues. Les trottoirs n'étaient pas encore pavés. On les avait plantés de maigres arbres emmaillotés de paille.

Le long d'une palissade erraient des hommes, isolément, des Arabes surtout, qui regardaient sans cesse d'un même côté, vers une lueur qui éclairait un rectangle de trottoir. C'était la seule lueur de la rue et elle en devenait féerique. Elle jaillissait d'une grande maison extraordinaire, construite de haut en bas en pavés vernis comme ceux des charcuteries. C'était blanc, avec des reflets lunaires. Cela semblait contenir quelque chose de rose et de comestible. A toutes les fenêtres, de la lumière filtrait, très vive, aux fentes des persiennes.

Et M. Hire marchait toujours, obliquait, sans ralentir, gravissait les trois marches et passait sur le paillasson qui déclenchait une sonnerie joyeuse.

Alors seulement il s'arrêta, un peu essoufflé, tandis que des grains de givre fondaient à ses moustaches. Une seconde porte s'ouvrait d'elle-même, avec un déclic, et du coup il pénétrait en pleine lumière, dans un vrai bain de lumière, si vive, si abondante, si radieuse qu'elle n'avait pas l'air vraie.

Les murs étaient blancs, du même blanc lisse et luisant. L'air était saturé de vapeur parfumée. Une femme vêtue de satin noir, le visage serein et bienveillant sous des cheveux d'argent, fronçait les sourcils, rien qu'une seconde, puis souriait.

— Gisèle, n'est-ce pas ?

Il fit signe que oui. Ce n'était plus la peine de parler. Le doigt de la femme touchait un timbre. Une sonnerie emplissait l'espace. Une fille toute jeune, aux jambes nerveuses dans des bas noirs, ne fit qu'entrouvrir la porte.

— Conduis au 16.

Et elle sourit en saluant M. Hire. Déjà d'autres sonneries retentissaient. M. Hire suivait la bonne le long d'un couloir bordé de portes numérotées. La buée était plus opaque. Le 7 était ouvert et on voyait une baignoire pleine d'eau chaude qui exhalait sa vapeur, couvrait les vitres et les murs de gouttelettes.

Du 12, une femme jaillit, en chemisette

bleue, les deux mains sur ses seins qui dansaient quand elle courait. Au 14, on frappait à l'intérieur et la petite bonne cria :

— Voilà, voilà ! Une minute...

Le sol était carrelé, et on le sentait lavé à grande eau, au savon. C'était propre, parfumé. Le tablier de la servante était raide d'amidon.

— Je vous apporte ce qu'il faut.

M. Hire entra, s'assit sur un étroit divan de rotin, face à la baignoire dont, avant de sortir, la domestique avait ouvert les deux robinets. Cela faisait des remous, un vacarme assourdissant. Dans la baignoire, l'eau devenait d'un vert pâle de pierre précieuse.

Et de l'eau coulait dans d'autres cabines, peut-être dans dix, peut-être dans vingt à la fois.

— Gisèle va venir. Baignez-vous toujours.

La femme de chambre referma la porte. Elle avait déposé sur la tablette deux serviettes blanches, un petit pain de savon d'un rose de bonbon et un minuscule flacon d'eau de Cologne.

— Voilà ! criait-elle à quelqu'un qui l'appelait de l'autre bout du couloir.

Et une voix de femme disait dans la cabine voisine :

— Il y a longtemps que tu es venu !

Il faisait chaud, d'une chaleur unique qui pénétrait les pores, la chair, le cerveau. On en avait tout de suite la tête bourdonnante,

42

les oreilles rouges, et une imperceptible angoisse dans la gorge.

M. Hire restait assis sans bouger, sa serviette de cuir sur les genoux, à regarder l'eau qui montait toujours dans la baignoire, et il sursauta quand on frappa à la porte.

— Ça y est ?

Un visage parut, des cheveux très sombres, des épaules nues.

— Bon ! Je reviens dans cinq minutes.

Alors seulement il se déshabilla, lentement. Il y avait des glaces sur deux des murs, si bien qu'il voyait trois ou quatre fois l'image de son corps qui apparaissait peu à peu, très blanc, replet, aussi lisse, aussi doux de contours qu'un corps de femme. Mais il baissait les yeux et il se hâta d'entrer dans l'eau où il s'étendit avec un soupir.

Dehors, on marchait, on courait, des sonneries ne cessaient de retentir, et des noms de femme qu'on criait d'un bout à l'autre du corridor. Ce qui dominait, c'était le bruit d'eau, l'odeur de savon, d'eau de Cologne, la moiteur des bains. On vivait dans une étuve. D'une minute à l'autre, les glaces perdaient toute transparence. Parfois un jet de vapeur venu on ne sait d'où rendait l'atmosphère opaque et on s'agitait dans un nuage. Cela faisait penser à une lessive. Cela en avait l'allégresse vulgaire.

Et pourtant, derrière ces bruits, ces fracas, il y avait, ténus, honteux, étouffés, des chuchotements, des soupirs, d'étranges baisers trop mouillés.

Debout dans la baignoire, M. Hire se savonnait tout le corps quand la porte s'ouvrit d'une poussée. Une femme entra en lançant :

— C'est toi ? Bonjour...

Et déjà, la porte à peine refermée, elle retirait son peignoir, apparaissait nue, plus nue dans cette atmosphère de bain qu'elle eût pu l'être ailleurs.

Elle était grasse, rose, lavée et relavée elle aussi, imbibée de vapeur, de savon, de parfum. Elle respirait la santé, la vigueur. D'un coup de pouce, elle fit jaillir l'eau de la douche et M. Hire vit la savonnée dégouliner le long de son corps, couvrir l'eau de la baignoire d'une mousse grise.

— Viens.

Elle tendait le peignoir ouvert. Elle frictionnait. Ses seins tressautaient à chaque mouvement et touchaient l'omoplate de l'homme.

— Tu t'es battu ?

Elle faisait allusion à la balafre et frictionnait toujours, essuyait sa propre poitrine qui s'était mouillée.

— En me rasant... dit-il humblement.

Il était cramoisi, à cause de cette friction, de la chaleur. Il en avait les jambes tremblantes et voilà que la femme se couchait sur le divan, le dos bien à plat, les genoux hauts.

— Viens.

Il fut sur le point d'obéir, mais il eut comme un manque de courage et il s'assit au bord du divan.

— Pas ça...

— Comme tu voudras.

Elle se redressa, s'assit à côté de lui, fit d'abord courir ses doigts sur les pectoraux qu'il avait gras. Pendant ce temps-là, elle regardait droit devant elle et elle dit :

— Tu me laisses l'eau de Cologne ?

Il balbutia un oui mou en penchant la tête et en la laissant glisser sur le sein de sa compagne. Il fermait les yeux. Au coin des lèvres, tout au fond des commissures, il y avait une ombre de sourire et un soupçon de souffrance.

— Comme ça ?

Elle s'agita un peu parce qu'il lui écrasait le sein, et la tête de M. Hire suivit le mouvement comme la tête d'un bébé. Enfin la femme se leva tandis qu'il se redressait avec peine en cachant ses prunelles.

— Dépêche-toi de te rhabiller.

Elle s'entoura les reins de son peignoir roulé comme un pagne et elle sortit ainsi, les seins nus, dardant leur pointe d'un rose agressif. Lentement M. Hire mit son caleçon, son pantalon. On frappait déjà à la porte.

— Je peux commencer ?

C'était la femme de chambre et ses torchons, un seau, une brosse. Pendant qu'il s'habillait, elle lavait la baignoire, essuyait les dalles, changeait le drap sur le divan de rotin.

— Vous êtes content ?

Il ne dit rien, chercha de la monnaie et, sa serviette sous le bras, fit le même chemin en sens inverse, croisa un nègre qui suivait une autre bonne.

Dans la rue, il eut froid, un froid malsain, à cause des moiteurs dont sa chair était imprégnée. Il y avait encore des ombres le long de la palissade, peut-être des gens qui hésitaient à entrer, peut-être des agents des mœurs ?

Dans la dernière rue avant les lumières, à cinquante mètres à peine des magasins, un couple était appuyé à une porte, si étroitement enlacé, la tache laiteuse des visages se confondant, qu'on avait l'impression de sentir le goût de leur baiser. La gamine avait un tablier blanc. C'était sans doute la bonne d'un boucher ou d'un crémier. Il était huit heures. M. Hire arriva à nouveau à la porte d'Italie et faillit se diriger vers le tramway qui attendait. Dans un bar, on jouait de l'accordéon. Trois jeunes gens qui avaient à la boutonnière des fleurs rouges en papier le bousculèrent.

Il marcha jusqu'à un restaurant et dîna, seul à une table, en choisissant des plats doux et sucrés. Malgré cela, il ne mangea presque pas. A neuf heures et demie, il était dehors et, dans une rue transversale, il s'arrêta devant un petit hôtel.

Il pensait toujours et, à force de penser, il avait un regard trouble, des sursauts d'effroi, quand quelqu'un passait soudain près de lui, qu'une auto cornait, qu'une fille le frôlait.

Il revint avenue d'Italie. La plupart des magasins étaient fermés, mais il y avait autant de lumière et, tout au bout, sur la place, on voyait tourner dans le ciel les feux d'un manège de chevaux de bois.

Une fois, comme un passant le heurtait, M. Hire lâcha sa serviette et dut se baisser pour la ramasser. Il se releva en soupirant de lassitude et, du coup, il se dirigea vers le tramway, vit que sa place était prise et resta debout sur la plate-forme.

Il descendit, au terminus de Villejuif, à dix heures et quart. Le carrefour était désert. Il n'y avait de monde que dans les deux cafés et les autos passaient sans s'arrêter sur la piste luisante.

La porte de la maison était fermée. Il sonna. La concierge déclencha le mécanisme, donna la lumière. Il passa sans regarder précisément la loge, mais il distingua pourtant un homme, peut-être deux, à califourchon sur une chaise devant le poêle. Il savait que c'était l'homme qui avait arraché le taffetas et qui l'avait suivi le matin.

Il monta l'escalier lourdement et la

lumière s'éteignit comme il avait encore un étage à gravir. Mais il avait l'habitude. Il trouva la serrure, y mit sa clef, reçut l'haleine froide de la chambre. Quand il alluma, porte close, il avait les sourcils froncés, l'air angoissé. Son regard chercha quelque chose autour de lui.

M. Hire ne fumait pas et, cependant, il y avait dans l'air une vague odeur de tabac refroidi.

Il alla tout de suite à un tiroir qui contenait son linge sale et le referma avec lassitude, jeta sa serviette de cuir sur le lit, accrocha son chapeau au portemanteau.

Le drap ensanglanté avait disparu.

Il avait éteint et il était debout à la fenêtre, en pardessus, les mains dans les poches. La servante du crémier s'était couchée avant son arrivée, mais elle ne dormait pas. Elle lisait un nouveau roman, les deux bras nus hors des draps, une cigarette à la bouche.

Il n'y avait plus de bruit dans la maison, sinon, juste au-dessus de M. Hire, celui d'un moulin à café. Sans doute un malade, sinon on ne fait pas de café à pareille heure.

La servante, pour se coucher, ne s'était pas décoiffée. On aurait même dit qu'elle avait mis de la poudre et un soupçon de rouge. Parfois elle levait la tête. Son regard quittait les lignes imprimées, franchissait le lit, atteignait la fenêtre aux transparents rideaux de mousseline.

Qu'est-ce qu'elle regardait ? Le mur noir, de l'autre côté de la cour ? Elle fit un vague mouvement de la tête, comme quand on veut appeler discrètement quelqu'un. Mais n'était-ce pas parce que sa nuque était ankylosée ?

M. Hire était immobile. Il voyait très bien les lèvres charnues de la fille s'entrouvrir dans un sourire. Mais pour qui ? Pourquoi ? Elle repoussa un peu les draps, s'étira, bombant la poitrine qui gonflait la toile blanche de sa chemise. Et elle souriait toujours, d'un sourire gavé de béatitude charnelle.

Peut-être parce que son corps était au chaud dans les draps ? Peut-être souriait-elle à quelque héros de son livre ?

Elle releva les genoux sous la couverture et le front de M. Hire pesa davantage contre la vitre glacée.

Elle l'appelait ! Il n'y avait pas de doute possible ! Elle répétait son mouvement de la tête ! Elle souriait nettement à la fenêtre ! Il ne bougea pas et elle se leva, découvrit un instant ses cuisses roses. Quand elle fut debout, avec la lampe derrière elle, il vit son corps en transparence sous la chemise.

Elle lui faisait signe de venir ! Elle montrait sa porte ! Elle en retirait le verrou et elle se recouchait d'un mouvement voluptueux, prometteur, s'étirait encore, en tenant cette fois ses seins à pleines mains.

M. Hire reculait. Il la voyait toujours, mais plus lointaine. Il heurta sa table, chercha dans un tiroir, sans allumer, quelque chose de blanc, n'importe quoi, et trouva un mouchoir.

La servante ne regardait plus la fenêtre. Sans doute croyait-elle qu'il était descendu et elle arrangeait ses cheveux devant un miroir de poche, écrasait du rouge en bâton sur ses lèvres.

M. Hire ne faisait pas de bruit. Un sommier gémissait au-dessus de sa tête et une voix murmurait des phrases plaintives. Avec le manche du balai, il fit tenir le mouchoir contre la vitre, à la place où était auparavant son visage, et il alla ouvrir la porte, écouta.

Malgré ses pantoufles de feutre, des marches craquèrent. Une voix, derrière une porte, demanda :

— C'est toi ?

Il passa sans répondre. C'était l'appartement d'un ménage qui avait trois enfants. Dans la loge, il n'y avait plus de lumière et M. Hire passa, évita de justesse les poubelles sonores, atteignit la cour.

Elle était longue de trois mètres, large de deux, et du haut en bas il y avait des fenêtres dont trois seulement étaient éclairées, entre autres tout en haut, chez les gens qui faisaient du café. Sa fenêtre à lui était celle d'en dessous. Il la voyait en perspective, toute noire. Sur ce noir, il cherchait la tache du mouchoir, il la trouvait fantomatique, mais visible comme son visage, chaque soir, était visible.

En face de lui, il y avait une porte, l'escalier B, qui conduisait chez la servante. M. Hire la contempla, hésitant, s'enfuit vers son escalier à lui en respirant avec force.

Quelque chose avait eu le temps de changer dans le couloir du rez-de-chaussée. Il était éclairé. Quelqu'un avait déclenché la minuterie. Or, on n'avait pas sonné. On n'avait pas entendu de pas.

M. Hire marchait, le corps penché en avant, sur la pointe des pieds. Il atteignait la porte vitrée de la loge quand il s'arrêta.

Dans l'ombre, derrière les carreaux, un homme était debout qui le regardait paisiblement en fumant sa pipe. Il n'avait pas l'air tragique, ni menaçant, ni ironique. Aucun air ! Il fumait sa pipe comme s'il eût été tout naturel de fumer à cette heure-là, debout dans la loge de la concierge, dans l'obscurité, éclairé seulement par le reflet des lampes du couloir.

Il ne marquait aucun étonnement à la vue de M. Hire qui le fixait, les yeux ronds. Il remua. Ce fut pour lever le bras, retirer la pipe de sa bouche et lancer un nuage de fumée qui, amassée contre la vitre, effaça un instant le visage comme l'eût fait une gomme.

M. Hire tendit la main vers le bouton de

la porte, la laissa retomber et, s'arrachant au sol, plongea dans l'escalier qu'il gravit en se tenant à la rampe.

Dans sa chambre, il s'assit, mais il voyait la fenêtre d'en face, la servante qui refermait la porte au verrou et qui, d'un geste rageur, dénouait ses cheveux, éteignait sa cigarette en l'écrasant contre l'émail de sa cuvette.

Enfin, regardant vers la cour, vers la fenêtre, elle tira la langue et tourna le commutateur électrique.

4

C'est par la T.S.F. qu'à huit heures moins cinq M. Hire apprit qu'on était dimanche, car tous les dimanches matin, elle jouait, parlait, sifflait dans un coin imprécis de la maison. Par sa fenêtre, il vit que la chambre de la servante n'était pas faite, et c'était aussi une caractéristique du dimanche. A une heure, la fille entrerait chez elle en coup de vent, tendrait tant bien que mal draps de lit et couvertures et s'habillerait fiévreusement.

Il n'y avait toujours pas de bois dans le logement. L'eau du broc était couverte d'une pellicule de glace et M. Hire, sans faux col, en pantoufles, s'engagea dans l'escalier.

Dehors, on avait l'impression qu'il faisait plus froid que la veille, mais c'était peut-être parce qu'il y avait moins de monde. La large route était presque vide. A l'attitude du tramway, on voyait bien qu'il ne partirait pas avant un quart d'heure. Les gens qui marchaient dans l'air pâle et coupant étaient surtout des gens en deuil, penchés en avant, des fleurs à la main, qui allaient au nouveau cimetière. C'était leur heure.

En passant devant la loge, M. Hire ne vit que la petite fille qui se lavait, vêtue d'une culotte blanche. Mais, du seuil, il aperçut au carrefour l'inspecteur qui battait la semelle en conversant avec l'agent de la circulation. L'inspecteur le vit aussi, ne broncha pas, et M. Hire tourna à gauche pour entrer dans la boutique de l'épicier.

Malgré son col de pardessus relevé sur sa chemise de nuit, il gardait un air trop habillé pour l'heure, quasi solennel. Il attendait dignement, patiemment son tour, puis désignait les marchandises.

— Une douzaine... Une demi-livre... Combien ?

On le connaissait depuis longtemps, et pourtant on le regarda avec gêne et curiosité. Il lui fallait du petit bois pour allumer son feu, du fromage, du beurre et des légumes cuits. Chez le charcutier, il acheta une côtelette froide et des cornichons. Ses bras étaient chargés de petits paquets blancs et il devait tenir le ventre en avant pour les soutenir.

Du centre du carrefour, l'inspecteur, près de l'agent en uniforme, le regardait aller et venir comme l'instituteur qui, dans la cour de l'école, surveille ses élèves en bavardant avec le directeur.

A deux cents mètres à peine, on voyait un

groupe de gens devant une palissade où éclatait en rouge et jaune une réclame pour du cirage. C'était dans la rue d'en face, une rue qui commençait par des maisons comme toutes les rues mais qui, un peu plus loin, n'était qu'une suite de chantiers et de terrains vagues.

Quand on passait par là, le soir, il y avait toujours une femme pour vous toucher le bras et pour vous désigner les chantiers déserts, ceux-là où, deux dimanches auparavant, on avait retrouvé le corps mutilé de l'une d'elles.

Maintenant encore, des gens profitaient du dimanche pour venir voir la place exacte et les taches brunes qui subsistaient sur une pierre de taille.

Encombré de ses paquets, M. Hire passa devant la crémerie juste au moment où la bonne en sortait avec des bouteilles de lait. Elle s'arrêta sur le seuil, sourit, tandis qu'il se précipitait dans le porche où il heurta la concierge qui lui tournait le dos et qui se retourna en sursautant d'effroi.

De plus en plus vite, il poursuivait son chemin, butait sur la première marche de l'escalier et un petit paquet tombait, il ne savait pas lequel. Il ne s'arrêta pas pour le ramasser, se contenta de serrer davantage les autres paquets contre sa poitrine et quand il arriva, essoufflé, au quatrième étage, il courait plutôt qu'il ne marchait.

Il ne s'arrêta pas, évita de se voir dans la glace. A genoux par terre, il commença par allumer le feu qui émit aussitôt un ronron vivant. Ensuite il retira son pardessus, attacha une serviette à ses reins en guise de tablier et entreprit le nettoyage du logement.

La maison était pleine de bruits, avec beaucoup plus de voix d'hommes qu'en semaine, et des murmures d'eau, des cris d'enfants qu'on rossait. La T.S.F. parlait sans fin, peut-être chez des ouvriers du cinquième, peut-être au troisième, on ne pouvait pas savoir tant le son se répandait uniformément dans l'espace.

A dix heures et demie, M. Hire contempla la chambre propre, le lit fait, le poêle chaud, frotté à la pâte, le réchaud à gaz, sur lequel de l'eau chantait.

Il se rasa, s'habilla, sauf le faux col et la cravate qu'il ne mettrait qu'à la dernière minute.

Et c'était tout. Il n'avait plus qu'à s'asseoir et à penser. De temps en temps, il regardait la fenêtre d'en face où il devinait de l'eau savonneuse dans la cuvette. En déployant le journal, il sut aussitôt ce que la servante ferait l'après-midi, car il y avait un grand match de football. A une heure et demie, elle attendrait au deuxième arrêt de l'autobus spécial du dimanche et, un peu plus tard, son amoureux arriverait.

Si le match n'avait pas été intéressant, ils

seraient allés à Paris, au Splendid Cinéma. C'était toujours l'un ou l'autre.

On entendit la sonnerie ininterrompue d'une voiture d'ambulance. Il y en avait tous les dimanches. Au même moment le violon du gamin se superposa à la T.S.F.

M. Hire remonta son réveil, cira une seconde fois ses chaussures qu'il avait déjà frottées, rangea les victuailles sur la table et s'assit pour déjeuner. Cela fit passer une grande heure. Il prenait une bouchée et mastiquait longtemps, en regardant la fenêtre devant lui et en pensant si loin qu'il oubliait pendant cinq minutes de prendre une autre bouchée. Il se prépara du café et le bébé d'en haut eut une interminable crise de désespoir, poussa des glapissements que dut étouffer en fin de compte le sein de sa mère.

Il n'était que midi. Et déjà à midi et quart la table était desservie, la toile cirée lavée à l'eau claire, les restes de nourriture rangés dans le placard.

La servante monta à une heure mais, de jour, c'était dans la grisaille qu'on la voyait lancer à travers la chambre ses souliers de travail, son tablier et sa jupe pour se planter, en chemise et en pantalon, devant le miroir.

M. Hire ne s'approchait pas de la fenêtre. Il regardait de loin, en mettant sa cravate et ses souliers à boutons. Il savait que quand elle serait prête, il entendrait un fracas, celui de la fenêtre qu'elle ouvrirait pour aérer la pièce.

D'ailleurs, il n'attendit pas. Il sortit, passa si vite devant la loge que la concierge dut en jaillir pour s'assurer que c'était lui. Sur le trottoir, il y avait encore des gens pour le cimetière : c'était le flot montant, qui arrivait de Paris et se dirigeait vers le large.

Mais le flot descendant était plus fort, les habitants de Juvisy, de Corbeil, de plus haut encore, qui déferlaient vers Paris dans des camionnettes, dans des autobus spéciaux, en vélo, à pied.

L'inspecteur était là, à moins de dix mètres de la maison, et M. Hire passa tout près de lui en se dandinant, en sautillant, le torse en avant, comme il avait l'habitude de marcher. Il ne le faisait pas exprès. Cela tenait à sa conformation. Son corps grassouillet sautillait de lui-même sur ses petites jambes rapides.

Il y avait cent mètres de foule dans les chaînes, près des tramways, et M. Hire traversa la chaussée, s'arrêta deux fois à cause des autos, se fit bousculer par l'agent.

— Allons... Pressons...

Il respirait mal. Ses nerfs étaient tendus. Il ne remontait pas sur l'autre trottoir, exprès. Il écoutait les bruits, devinait l'inspecteur en civil à une trentaine de pas de lui.

Enfin il y eut un vacarme de moteur, une sonnette agitée à toute volée, celle de l'autobus spécial de Juvisy, qui, complet, brûlait l'arrêt.

Les mâchoires de M. Hire étaient serrées. Il tourna à demi la tête, vit l'avant de l'autobus et s'élança de toutes ses forces, tâtonnant de la main droite qui saisit enfin le montant de l'autobus tandis que deux bras se tendaient pour le hisser sur le marchepied.

Il ne put s'empêcher de sourire avec une émotion qui le rendait attendrissant et grotesque. Le receveur, au fond de la voiture, ne l'avait pas vu. Les gens de la plate-forme, déjà serrés, se serraient davantage mais le regardaient avec une muette réprobation. Quant à l'inspecteur, il était tout là-bas, au carrefour, sur ses deux jambes inutiles, à peine visible dans la foule.

Une femme dont le coude de quelqu'un meurtrissait les côtes murmura et M. Hire se hâta de balbutier :

— Je descends tout de suite...

On brûlait un autre arrêt et M. Hire s'installait sur le marchepied, faisait face à l'avant, lâchait prise. Douze personnes, de la plate-forme, le regardaient curieusement, tout seul, sur la route, entraîné par l'élan qui lui fit faire une dizaine de petits pas.

Il était une heure et quart. Il marcha vite, non pas dans la rue principale de Villejuif, mais dans une rue parallèle, et revint ainsi vers le carrefour sans se hasarder jusqu'à celui-ci.

A un coin de rue, il resta tapi, contre le mur, sombre et grave comme un agent en surveillance.

La bonne arriva la première, moulée dans son manteau vert, le col relevé, les joues gercées. Presque aussitôt un jeune homme s'approcha, coiffé d'un chapeau gris, et elle se haussa sur la pointe des pieds pour lui baiser la joue tout en s'accrochant à son bras.

Ils parlaient, mais on n'entendait pas les mots. L'autocar pour Colombes s'arrêta et M. Hire vit la servante se retourner avant d'y monter, comme si elle eût cherché quelqu'un.

Alors, il monta à son tour. Il n'y avait plus de place, mais on acceptait tout le monde. On ne pouvait pas remuer les bras, ni les jambes. Tous les visages se balançaient selon les cahots à une hauteur à peu près égale et en dessous ce n'était qu'une masse anonyme.

Le couple était à deux mètres de M. Hire. Parfois les regards se croisaient, comme les regards de tous ces gens se croisaient, neutres, vides, indifférents. L'autocar sautait sur les pavés, franchissait la porte d'Italie où s'embarquait encore du monde.

L'amoureux était maigre, mal portant. Son regard ne se posait jamais sans ironie sur M. Hire, mais c'était quand même lui qui

60

détournait les yeux le premier, parce que M. Hire, lui, pouvait fixer quelqu'un très longtemps, sans intention, sans curiosité, sans rien, comme on fixe un mur ou le ciel.

Alors le jeune homme donnait un coup de coude à sa compagne, murmurait quelques mots à son oreille en feignant de rire, et M. Hire rougissait un peu.

Mais c'était rare. Il y avait trop de têtes entre eux. Le receveur, coudes écartés, s'enfonçait dans la masse, réclamait la monnaie.

On traversait des rues vides, des places vides, avec seulement quelques silhouettes égarées sur les trottoirs, blêmes de froid, où la bise faisait glisser la poussière.

Et brusquement ce fut la foule, des cris, des musiques, une poussée violente qui emporta M. Hire, l'arracha à l'autocar. Encore avait-il peine à freiner, à se retourner pour s'assurer que le couple était dans le tas.

Il y avait peut-être dix guichets, peut-être vingt. On lui tendait, en pleine foule, des billets multicolores en lui criant dans l'oreille :

— Tribunes réservées... Vingt-cinq francs...

Son visage exprima une angoisse enfantine quand il perdit le couple et il tourna sur lui-même comme une toupie, ouvrit la bouche de joie en retrouvant au loin le chapeau vert de la servante.

— Pardon... Pardon...

Il atteignit le guichet presque en même temps qu'elle et prit une place à dix francs. Elle achetait deux oranges que son compagnon payait d'un air dédaigneux et les gens allaient dans tous les sens, criaient des choses différentes tandis qu'au-delà des palissades on entendait des martèlements de pieds impatients dans les tribunes.

Il y avait un rayon de soleil acide comme les oranges mais, les portes franchies, le vent qui arrivait du terrain durci soulevait les chapeaux, tendait la peau des visages.

L'amoureux avait les mains dans ses poches, le pardessus ouvert. Et la bonne se suspendait à son bras comme une gosse qui craint de se perdre. De profil, ils se glissaient entre les rangs serrés de petits bancs, suivis par M. Hire en chapeau melon et en manteau noir à col de velours.

— Pardon... Pardon...

Il y avait surtout des gens en casquette qui, presque tous, mangeaient quelque chose, des cacahuètes, des oranges ou des marrons chauds. On s'interpellait de loin. M. Hire traversait cela avec l'air de s'excuser, de sourire.

— Pardon...

Il trouva une place juste un rang derrière le couple et, comme les bancs n'avaient pas de dossier, ses genoux touchaient les reins de la femme.

Tout le monde tapait des pieds en cadence

tandis qu'une fanfare n'arrivait pas à lutter avec la bise qui emportait la musique du côté opposé aux tribunes.

Enfin, sur le terrain immense, des petits hommes s'agitèrent, les uns rayés de jaune et bleu, les autres vêtus de rouge et de vert. Ils palabrèrent, au beau milieu de l'espace, puis un coup de sifflet retentit et la foule hurla avec ensemble.

M. Hire serrait les épaules pour donner moins de prise au froid et surtout il évitait de remuer les genoux d'un seul millimètre, car la servante s'y appuyait, pesait vraiment comme sur un dossier, cependant que sa main gantée de chevreau restait accrochée à l'avant-bras de son compagnon.

Les bonshommes bariolés couraient en travers du terrain, arrêtés de temps en temps par les coups de sifflet, et M. Hire voyait à quarante centimètres de lui une nuque vivante dorée par un léger duvet. La femme ne se retournait pas, mais elle devait sentir le regard collé à sa peau, car parfois elle éprouvait le besoin, comme diversion, de demander après un coup de sifflet :

— Qu'est-ce qu'il y a ?

Elle suivait le jeu sans comprendre. Son compagnon haussait les épaules. Les tribunes vibraient comme un tambour, tressaillaient, oscillaient même quand des milliers de personnes se dressaient à la fois pour hurler.

M. Hire restait assis. A la mi-temps, il eut des regards de dormeur éveillé en sursaut pour la foule soudain calme et fluide qui recommençait à manger. La femme mangeait aussi, une orange glacée dont elle arrachait la pelure avec les ongles. Le jus giclait, astringeant. Les petites dents pointues mordillaient la pulpe, la langue raidie s'enfonçait, les lèvres aspiraient, l'odeur du fruit se répandait à plusieurs mètres.

— C'est acide... dit la servante, avec satisfaction. Donne-moi une cigarette, maintenant.

Elle la fuma en arrondissant les lèvres sur le rouleau de tabac, comme tous ceux qui fument pour la joie pittoresque et non pour le goût du tabac. Les odeurs se mélangeaient. C'était à la fois aigre et fade et cela semblait émaner de cette nuque de rousse qui était ronde et droite comme une colonne.

— Qui a gagné ?

L'homme lisait un journal sportif sans voir la petite main toujours posée sur son poignet. La mi-temps finissait. Les joueurs envahissaient le terrain. Le sifflet arrêtait ou déclenchait des bagarres.

Il faisait presque nuit, à la fin, et les spectateurs frappaient des pieds pour se réchauffer. Quelques brins de neige étaient en suspens dans l'air gris et l'un d'eux vint se poser, en dépit du toit des tribunes, sur le chapeau vert où il fondit.

Pour sortir, il fallait lutter et M. Hire eût sans doute perdu le couple, si le jeune homme n'eût rencontré des amis.

Ils étaient groupés près d'une des sorties et personne ne s'occupait de la bonne qui restait un peu en retrait.

Elle vit sortir M. Hire et le regarda longuement, avec des yeux plus graves que d'habitude. Les jeunes gens parlaient fort. L'amoureux se tourna vers elle, lui dit quelques mots, prit une coupure de cinq francs dans sa poche et, la lui donnant, l'embrassa au front.

Les hommes s'entassèrent dans un taxi qui s'éloigna vers Paris. Quant à elle, elle marcha lentement, comme déroutée d'être seule. M. Hire restait immobile, pour lui laisser prendre de l'avance. Elle ne se dirigeait ni vers les tramways, ni vers les autobus. Elle suivait la même rue que le taxi, sans se presser, sans regarder derrière elle. Elle savait que M. Hire était là. Elle entendait son pas, reconnaissable par son sautillement et par les semelles très fines qui frôlaient à peine le sol.

Il faisait nuit. Les volets des magasins étaient clos. Seuls les cafés étaient éclairés et des ménages rentraient chez eux, endimanchés, les enfants marchant devant.

Il y avait dix mètres entre M. Hire et la ser-

vante. Puis il y en eut cinq. Puis il fit vivement trois pas, mais s'arrêta pour reprendre
sa distance.

Ils marchèrent ainsi un quart d'heure et de
temps en temps elle tournait à moitié la tête,
trop peu pour bien le voir, assez pour savoir
qu'il était là.

Enfin, elle entra dans un petit bar où il n'y
avait qu'un mètre de libre autour du comptoir en fer à cheval.

— Un diabolo.

Les coudes sur le zinc, elle contemplait
M. Hire qui s'était installé du côté opposé et
qui murmura, honteux :

— Un diabolo.

Deux hommes, au fond, les observèrent et
interrompirent même leur conversation
jusqu'à ce que le patron vînt continuer avec
eux un zanzi commencé.

La servante comptait des pièces de monnaie dans son sac. Elle avait les joues luisantes, les yeux très brillants à cause du
grand air et ses lèvres entrouvertes avaient
l'air de saigner.

— Combien ?

Déçue, elle évitait de regarder M. Hire.

— Quatorze sous.

Et M. Hire mit un franc sur le zinc, sortit
juste en même temps qu'elle sans attendre sa
monnaie, s'effaça pour la laisser passer la
première.

Elle crut qu'il allait parler. Elle sourit, la

main prête à se tendre, les lèvres à murmurer :

— Bonjour...

Mais il ne dit rien et elle reprit sa marche
le long du trottoir en balançant davantage
ses hanches pleines qui tendaient la jupe à
chaque pas.

Aux approches de Paris, il y avait plus de
lumières, plus de monde. La fille marchait
toujours, un peu lasse, mais d'un pas égal,
avec obstination. Sur une place, elle prit un
tramway sans même se retourner pour
savoir si elle était toujours suivie. Peut-être
cela lui était-il égal ?

M. Hire s'assit trois banquettes plus loin.
Le tramway traversa des rues centrales,
pleines de foule, avec beaucoup de cafés, des
petites baraques où l'on vendait des bibelots,
des couples qui se tenaient par la taille.
M. Hire était pâle, sans doute de fatigue. Il
arrivait à son teint de se plomber soudain, à
ses yeux de se cerner et c'était alors comme
s'il se fût dégonflé. Il avait l'air moins pou-
pin, moins gras, moins étrange. Ses yeux
perdaient leur insensibilité et, comme les
yeux des chiens dont ils avaient la couleur,
ils semblaient appeler à l'aide.

La bonne lui faisait face. Elle jouait son
rôle. Elle feignait de ne pas le voir, d'être à
son aise, indifférente. Deux fois, elle se pou-
dra et se mit du rouge. Deux fois aussi, elle

tira sur sa robe comme si elle eût surpris M. Hire à regarder ses genoux.

Le décor devenait familier. Sans même regarder les vitres on reconnaissait les enseignes lumineuses de la place d'Italie, puis les cafés de l'avenue, la porte.

— Terminus ! Tout le monde descend.

Elle descendit la première et resta un instant au bord du trottoir. A vingt mètres, d'autres tramways attendaient pour Villejuif. Tout le long du chemin, la route était sombre et les piétons rares.

Pourtant elle se mit en marche. Auparavant, elle avait acheté pour vingt sous de marrons et elle les mangeait chemin faisant, ralentissant le pas quand la pelure était difficile à retirer. Elle avait parcouru cinq cents mètres quand elle tressaillit, comme s'il lui eût manqué quelque chose. Elle se retourna et ne vit que le vide derrière elle.

M. Hire n'était plus là. Un tramway passait de l'autre côté de la route et on l'apercevait derrière une des glaces, assis dans la lumière rougeâtre.

Pour atteindre l'arrêt suivant, elle avait encore cinq cents mètres à parcourir. Quand elle y arriva, il ne venait pas de tramway, elle gagna un autre arrêt, si bien que d'étape en étape elle arriva à pied à Villejuif. Elle acheta encore des marrons au carrefour. Elle était lasse. Les talons lui cuisaient et la plante des pieds était douloureuse, à cause de la cambrure des chaussures. Malgré la température, elle avait si chaud qu'elle avait repoussé le chapeau vert sur sa nuque et c'est ainsi qu'elle entra dans la maison, son sac de marrons à la main.

Par habitude, elle jeta un coup d'œil dans la loge. Elle vit la concierge qui avait mis ses lunettes et qui, les coudes sur la table, lisait le journal. En face d'elle, l'inspecteur se chauffait les mains au-dessus du poêle. Elle entra.

— Vous dérangez pas ! Un marron ?...

Elle parlait en soufflant, parce que le marron qu'elle avait en bouche était chaud. L'inspecteur en prit deux. On le sentait fatigué aussi, découragé.

— Evidemment, vous ne savez pas où peut être allé M. Hire ?

— Moi ? Comment le saurais-je ?

— Elle sort tous les dimanches après-midi avec son amoureux, expliqua la concierge, sans interrompre sa lecture. C'était bien, le match ?

L'inspecteur regardait le poêle avec ennui.

— Il l'a fait exprès !

— Quoi ?

— De sauter sur l'autobus en marche. Moi, je pensais qu'il prendrait le tramway, comme toujours. Donc, il devait aller quelque part et il ne voulait pas être suivi.

— Cela vous intéresse beaucoup ?

— Parbleu !

— Je pourrais peut-être aller lui dire un petit bonjour.

La concierge leva la tête. Les lunettes changeaient son expression, la vieillissaient tout en lui donnant une certaine distinction.

— Tu es folle ?

La fille riait de toutes ses dents. On voyait des morceaux de marron dans sa bouche.

— Chiche que je lui tire les vers du nez ! lança-t-elle en ouvrant la porte.

Et elle courut vers l'escalier B, monta chez elle, vit la fenêtre éclairée de M. Hire et celui-ci qui versait de l'eau bouillante dans sa petite cafetière. Elle n'avait pas allumé sa lampe. A tâtons, elle s'approcha de sa toilette, trouva le flacon d'eau de Cologne et en aspergea sa robe et ses cheveux. Dans l'obscurité toujours, elle se donna un coup de peigne, tendit ses bas de soie artificielle qui étaient roulés, au-dessus des genoux, sur un élastique.

M. Hire mettait la table : une tasse, une assiette, une soucoupe avec le beurre, un morceau de pain et du jambon.

Au moment de sortir, la bonne hésita encore, regarda son lit, puis la fenêtre éclairée. Elle n'avait pas besoin de passer devant la loge. Dans la cour, elle fut surprise par le froid, car ces allées et venues l'avaient mise en nage. L'escalier était le même que le sien, sauf que les portes étaient peintes en brun tandis que celles de l'escalier B l'étaient en bleu sombre.

Elle dut s'arrêter parce que toute une famille montait péniblement, les enfants devant, la mère essoufflée portant des paquets.

Enfin elle fut devant la porte qui correspondait avec la sienne. Une fois encore elle arrangea d'un doigt ses cheveux cuivrés, tira sur un bas mal tendu et frappa.

Il y eut un bruit de tasse posée sur une soucoupe, de chaise violemment repoussée. La bonne sourit en entendant des pas feutrés qui se rapprochaient de la porte. Elle abaissa le regard. Un instant encore, le dessin de la serrure resta lumineux, puis quelque chose s'interposa entre la porte et la lumière.

Elle devina un œil et sourit, recula d'un pas pour être dans le champ du regard et bomba orgueilleusement sa poitrine exubérante.

5

M. Hire était immobile. La servante voyait toujours l'œil et elle s'efforça de sourire, balbutia en s'assurant qu'il n'y avait personne dans l'escalier :

— C'est moi...

L'œil disparut, il y eut un voile derrière la serrure, sans doute la silhouette de l'homme redressé, mais pas de bruit, pas de mouvement. La bonne piétina d'impatience et, comme la serrure était à nouveau lumineuse, se pencha à son tour.

M. Hire était déjà loin, à trois mètres, adossé à la table, et fixant la porte. Il avait le visage douloureux d'un malade qui attend sa crise et qui retient son souffle. Voyait-il, lui aussi, un œil derrière la serrure ?

La servante dut s'en aller, parce que quelqu'un descendait l'escalier. Quand elle atteignit la loge, elle avait eu le temps d'adopter un sourire, mais il ne parvenait pas à donner de l'indifférence à ses lèvres charnues.

— C'est toi, Alice ?

La concierge lui tournait le dos, occupée à déshabiller sa fille. L'inspecteur, assis près du poêle, un moulin à café entre les genoux, regardait interrogativement la servante.

— Vous l'avez vu ?

Elle s'assit sur le bord de la table et haussa les épaules, tandis qu'on pouvait deviner la chair des cuisses au-dessus des bas roulés.

— Je parie qu'il est fou, dit-elle.

Et la concierge, sans se retourner, une épingle de nourrice entre les dents :

— Un fou qui sait ce qu'il fait !... Va te coucher, toi, ajouta-t-elle en poussant sa fille vers le fond de la loge.

Elle était fatiguée. Elle prit le moulin des mains de l'inspecteur.

— Merci. Vous êtes bien gentil.

Ils s'étaient habitués l'un à l'autre. Le policier qui, depuis quinze jours, surveillait le quartier, avait adopté la loge comme refuge. Il y avait toujours du café chaud, sur un coin du fourneau. Lui-même apportait parfois un litre de vin ou des gâteaux.

Alice balançait une jambe forte et regardait par terre avec mauvaise humeur.

— Ma patronne est rentrée ?

— Il y a une heure, avec sa belle-sœur de Conflans.

Et la concierge, en s'asseyant, reprenait la conversation où elle l'avait laissée avec l'inspecteur. Elle avait remis ses lunettes et son visage avait une expression réfléchie.

— Vous comprenez, je le jurerais, mais quant à affirmer que je ne me trompe pas... Ce samedi-là, il est rentré à la même heure que tous les soirs. Il n'y a que le premier lundi du mois qu'il rentre tard. Je ne l'ai pas vu redescendre et pourtant, la nuit, je lui ai tiré le cordon.

— Pour sortir ?

— Non, pour entrer, justement !

Cela l'affinait de réfléchir ainsi. Alice balançait toujours la jambe que l'inspecteur suivait machinalement des yeux. Il faisait chaud. Le café tombait goutte à goutte du filtre. Cela sentait le dimanche soir, la lassitude qui ne doit rien au travail, la détente veule et les minutes qui coulent plus lentement que les autres jours.

La servante avait les reins creux, les pieds endoloris dans ses chaussures trop serrées. Des locataires passaient devant la loge et s'engageaient paresseusement dans l'escalier. Une femme ouvrit la porte.

— La belle-mère n'est pas venue ?

— A trois heures. Elle a dit qu'elle vous retrouverait au cimetière.

Alice, qui observait l'inspecteur, demanda, une cigarette non allumée aux lèvres :

— Vous n'allez pas l'arrêter ?

La concierge braqua sur elle ses petits yeux.

— Toi, tu es une vicieuse, affirma-t-elle.

Et elle ne plaisantait pas. Elle avait de la réprobation pour la silhouette charnue de la servante, ses bras nus, son menton à fossette.

— On ne sait pas encore, soupira le policier en tendant une allumette. Il faudrait une preuve.

Le front de la concierge se ridait comme si ces mots se fussent adressés à elle seule, comme si elle eût été chargée de découvrir la preuve en question.

— Si on le laisse, il recommencera. Cela se sent. Moi, je ne pourrais pas le toucher pour tout l'or du monde. Tenez, je n'ose même pas toucher son linge qu'il descend tous les mercredis pour que je le donne à la blanchisseuse.

L'inspecteur jeta sa cigarette dans le seau à charbon. Il était fatigué aussi, de ne rien faire, d'attendre, de partager ses journées entre cette cuisine et le carrefour de Villejuif.

— Montez-lui donc ceci, dit-il, en tirant une enveloppe de sa poche.

— Qu'est-ce que c'est ?

— Une convocation du commissaire, pour mercredi. Peut-être que ça le décidera à tenter quelque chose.

— Il faut que j'y aille ?

Elle avait peur et pourtant, la lettre à la main, elle devint menaçante.

— J'y vais !

La servante quitta la table et se dirigea vers la porte. L'inspecteur la regarda d'une façon insistante, désigna la concierge qui sortait, avança même une main frôleuse. Il voulait rester seul avec elle, mais elle feignit de ne pas comprendre et traversa la cour à pas pressés car il gelait plus que jamais et le carré de ciel, là-haut, était gris argent, malgré la nuit.

Dans l'obscurité de sa chambre, à genoux sur son lit pour mieux voir, Alice n'entendit pas les coups frappés par la concierge à la porte d'en face, mais elle les devina au tressaillement de M. Hire. Il était occupé à découper avec des ciseaux de grandes feuilles de papier gris déployées sur la table. Il avait retiré son faux col et ses chaussures.

Les ciseaux à la main, il se tourna vers l'huis et eut un mouvement de recul. Puis, précipitamment, sur la pointe des pieds, il marcha jusqu'à la serrure et y colla son œil.

Sur le palier la concierge devait s'impatienter, dire quelque chose. En effet, M. Hire se redressait, boutonnait son veston et entrouvrait la porte, de quelques centimètres à peine, tendait la main de telle sorte qu'on ne pût le voir. On entendait le violon du troisième, la T.S.F. que les gens avaient mise en marche en rentrant.

Sa porte close, M. Hire regardait l'enveloppe, la tournait en tous sens sans l'ouvrir, puis il allait prendre un couteau dans le placard au réchaud à gaz et coupait lentement le papier, déployait la feuille.

Il ne fit pas de gestes. Ses traits ne s'altérèrent pas. Il se contenta de s'asseoir près de la table, le regard rivé aux papiers gris qu'il découpait auparavant. Il n'entendait ni les autos de la route, ni le violon, ni la T.S.F. Il vivait dans une rumeur imprécise, dans un bourdonnement qui était peut-être celui du poêle ou celui de son pouls.

Alice avait quitté sa chambre sur la pointe des pieds. Or, soudain, M. Hire levait la tête, fixait, de l'autre côté de la cour, la chambre de bonne qui s'éclairait. Jamais il n'avait distingué aussi nettement les détails. La fille entrait, refermait brutalement sa porte et, sans même marquer un temps d'arrêt, se jetait sur son lit, toute habillée, la tête dans son bras replié.

M. Hire ne broncha toujours pas. Elle était à plat ventre. Tout son corps s'agitait et cela donnait à sa croupe des sursauts érotiques. Mais c'étaient surtout ses épaules qui tressaillaient convulsivement, tandis que ses pieds battaient rageusement l'édredon rose.

Elle pleurait. Elle sanglotait. M. Hire, ennuyé comme par une incongruité, prit une des feuilles de papier gris sur la table et, à l'aide de quatre punaises, la fixa sur une des trois vitres. Mais il la voyait toujours à travers les deux autres. Il travaillait lentement. Ses lèvres s'entrouvraient comme s'il se fût parlé à lui-même.

Alice se ramassait, se retournait d'un saut de carpe, bondissait sur ses pieds et, rageuse, arrachait son corsage de soie verte, découvrant la chemise blanche pleine de ses seins.

Elle avait les cheveux en désordre. Elle marchait. Elle allait du lit à la toilette, saisissait un peigne qu'elle lançait à la volée dans la chambre et deux fois elle regarda dans la direction de M. Hire.

Il avait pris le second papier gris, quatre autres punaises. Deux d'entre elles étaient déjà fixées. Alice fouillait fébrilement son sac, avec la crainte de perdre une seconde, en tirait un crayon, arrachait un grand morceau de papier à bord de dentelle, qui couvrait une étagère.

M. Hire recula jusqu'à la table, d'où il ne voyait plus rien. Mais il y était à peine qu'il avançait d'un pas, penchait la tête pour regarder par le troisième carreau, le seul encore libre.

Elle avait déjà fini d'écrire et, à genoux sur son lit, elle collait son papier à sa vitre, en guettant la fenêtre d'en face avec angoisse.

Elle le voyait qui essayait de se cacher. Elle faisait claquer ses doigts comme un écolier impatient.

Elle n'imaginait pas que M. Hire ne pouvait pas lire ce qu'elle avait écrit, car la lumière était derrière la feuille et il n'apercevait qu'un carré sombre.

De plus en plus nerveuse, elle donna de petits coups contre la vitre et il s'avança encore d'un pas, méfiant, resta un bon moment immobile. Enfin, de la main, il fit un signe négatif, prit son papier gris, recula, le dressa près de sa propre lampe.

Elle ne comprenait pas. Elle désignait sa feuille à elle du doigt et M. Hire montrait sa lampe d'un petit geste court et encore hésitant. Comme elle essuyait ses yeux de sa main libre, il alla jusqu'à sa propre fenêtre, mit son papier comme celui de la bonne, recula et l'éleva jusqu'à la lampe.

Elle avait compris. Elle sautait à bas du lit, tendait sa feuille à deux mains.

M. Hire en avait des gouttes de sueur au front et surtout au-dessus de la lèvre supérieure, sous ses moustaches. Il fronçait ses gros sourcils bruns pour lire : *Il faut absolument que je vous parle.*

Elle brandissait toujours la feuille en l'air et cela lui remontait les seins qui paraissaient encore plus lourds tandis qu'on distinguait les poils roux des aisselles.

Comme M. Hire reculait, elle se précipita à nouveau, suppliante, faisant de la tête le signe répété :

— Oui... oui... oui...

Il avait presque disparu car, quand il atteignait le fond de sa chambre, elle ne pouvait plus le voir. Il revint, recula encore, le visage sévère, désigna la chambre d'en face, d'un seul doigt.

— Non... fit-elle de la tête.

Et elle montra la chambre de M. Hire, n'attendit pas de réponse. Sautant du lit, elle ramassa son corsage qu'elle passa tout en se dirigeant vers la porte. Pourtant elle revint sur ses pas pour se regarder dans la glace et, après avoir essuyé son visage d'une serviette, elle y mit un peu de poudre, avança les lèvres pour s'assurer que le rouge ne s'était pas dilué.

M. Hire, roide d'angoisse, piquait de deux punaises la troisième feuille de papier, courait à sa toilette, vidait la cuvette, fermait le placard, se précipitait vers le lit dont il tendait la courtepointe. On n'entendait encore rien dans l'escalier. Il s'arrêta devant son miroir, passa le peigne dans ses cheveux, tapota sa cicatrice et redressa ses moustaches. Il allait remettre son faux col et sa cravate quand des pas s'arrêtèrent sur le palier.

Il respirait si fort qu'on voyait vibrer les poils rêches des moustaches. Il ne regardait rien. Il avait eu toutes les peines du monde à dire :

— Entrez !

Et il sentait de tout près l'odeur de la servante, la même odeur que, dans les tribunes de Bois-Colombes, il ne faisait que deviner au passage de la bise. C'était une odeur chaude où il y avait des fadeurs de poudre de riz, la pointe plus aiguë d'un parfum, mais surtout son odeur à elle, l'odeur de sa chair, de ses muqueuses, de sa transpiration.

Elle respirait fort, elle aussi. Elle reniflait, faisait des yeux le tour du logement, et trouvait enfin M. Hire près de la porte qu'il venait de refermer.

Elle ne savait plus que dire. D'abord, elle essaya de sourire, pensa même à lui tendre la main, mais c'était impossible de tendre la main à un homme aussi immobile, aussi lointain.

— Il fait chaud, chez vous.

Et elle regardait la fenêtre qu'obstruaient maintenant les papiers gris. Elle s'en approcha, souleva l'un d'eux, vit sa chambre, son lit surtout, qui semblait être à portée de la main. Quand elle se retourna, elle rencontra enfin le regard de M. Hire et elle rougit violemment tandis qu'il détournait la tête.

Tout à l'heure, elle avait feint de pleurer, mais maintenant ses paupières picotaient pour de bon, ses prunelles s'embuaient. Lui ne l'aidait pas, la laissait se débattre toute seule dans le vide de la chambre où les moindres bruits avaient plus de résonance que partout ailleurs. Il marcha même vers le poêle, se baissa pour saisir le tisonnier.

82

Il ne fallait plus attendre. Alice pleura et, comme le lit était près d'elle, elle s'y assit d'abord, puis se laissa glisser de travers pour s'appuyer à l'oreiller.

— J'ai honte, bégaya-t-elle. Si vous saviez !

Penché en avant, le tisonnier à la main, il la contempla et les dernières roseurs de ses joues disparurent. Elle pleurait toujours. On ne voyait pas son visage. Elle balbutiait entre ses sanglots :

— Vous avez vu, n'est-ce pas ? C'est horrible ! Je ne savais rien. J'étais toute endormie.

Entre deux doigts, elle le voyait poser le tisonnier, et se redresser, encore hésitant. Elle était en nage. La sueur mouillait la soie du corsage en dessous des bras.

— On voit tout ! Et moi qui, chaque jour, me déshabillais et...

Elle pleurait de plus belle, laissait voir son visage congestionné, la grimace de la bouche qui faisait un effort pour parler.

— Cela me serait égal ! Vous pouvez bien me regarder. Mais c'est cette chose affreuse...

Lentement, si lentement que la progression était imperceptible, le visage de cire de M. Hire s'animait, devenait humain, anxieux, pitoyable.

— Venez près de moi, dites ! Il me semble que ce sera plus facile...

Mais il restait droit comme un mannequin

à côté du lit. Il ne put retirer sa main à temps. Elle la lui prit.

— Qu'est-ce que vous avez pensé ? Vous savez mieux que n'importe qui que c'était la première fois qu'il venait, n'est-ce pas ?

Elle n'avait pas de mouchoir et elle s'essuya à la courtepointe. Son corps lourd, charnu, dégageait une chaleur intense et il était étalé là, dans la chambre, dans le lit de M. Hire, comme un foyer de vie exubérante. M. Hire regardait le plafond. Il lui semblait que toute la maison devait entendre les échos, sentir les palpitations de cette vie. Quelqu'un marchait de long en large, là-haut, à pas réguliers, obstinément, le bébé sur les bras, probablement, pour l'endormir.

— Asseyez-vous près de moi.

C'était trop tôt. Il résistait encore, s'efforçait d'échapper à l'emprise du corps qui s'étirait, se ramassait sur lui-même, s'épanouissait dans les sanglots comme dans un spasme.

Plus calme, elle disait d'une voix hachée :

— Ce n'était qu'un ami, pour sortir le dimanche...

M. Hire le savait bien, qui les suivait toujours, au football ou au vélodrome quand il faisait beau, au cinéma de la place d'Italie quand il pleuvait. Il les voyait se retrouver à une heure et demie au même arrêt de l'autobus. Alice s'accrochait au bras de son compagnon. Plus tard, quand il faisait noir, ils

84

s'arrêtaient de temps en temps sous un porche et la tache claire des visages se confondait.

— Maintenant, je le déteste ! criait-elle.

M. Hire regardait sa toilette, le réveille-matin sur la cheminée, le petit poêle, toutes ces choses qu'il était seul à manier chaque jour, comme pour les appeler à son secours. Il fondait. Il ne pouvait plus s'arrêter sur la pente et pourtant il gardait une arrière-pensée, il conservait la faculté de se regarder lui-même et il était mécontent du M. Hire qu'il voyait.

Alice aussi l'étudiait à la dérobée, d'un œil qui soudain, l'espace d'une seconde, devenait froid et lucide.

— Avouez que vous étiez là !

La fenêtre, avec ses papiers gris, avait un air méchant. La lampe était toujours allumée dans la chambre d'en face mais, par-dessus les papiers, on ne distinguait qu'un faible halo.

— Je m'endors souvent en oubliant de mettre le verrou et d'éteindre...

Maintenant qu'on ne le lui demandait plus, M. Hire s'asseyait tout au bord du lit, tandis qu'Alice gardait sa main dans la sienne. C'était vrai : ce samedi-là, elle s'était endormie et son livre avait glissé sur le plancher. M. Hire n'avait pas sommeil. La vitre était fraîche contre son front.

Alors l'homme était entré, non pas bien

habillé comme le dimanche, mais coiffé d'une casquette sale, une écharpe autour du cou en guise de faux col. Alice s'était dressée sur les coudes. Il lui avait fait signe de se taire et il avait parlé, lui, à voix basse, par petites phrases sèches, tout en se lavant les mains dans la cuvette, puis en s'examinant des pieds à la tête, lentement, comme pour faire disparaître certaines traces.

Il avait la fièvre. Ses gestes étaient saccadés. Quand il s'était approché du lit, il avait glissé sous le matelas un sac de femme tiré de sa poche. On n'entendait pas les mots qu'il disait. Alice avait peur, mais elle n'avait pas crié, pas fait un geste quand soudain, avec un sourire moqueur, son compagnon avait arraché la couverture, dévoilant la nudité moite de ses jambes et de ses cuisses.

— C'était affreux ! disait-elle. Et vous regardiez ! Vous avez tout vu, tout !

Oui, tout ! Une étreinte méchante d'homme qui veut coûte que coûte se casser les nerfs.

M. Hire fixait les fleurs de la tapisserie. Les petits disques rouges avaient réapparu sur ses joues. Alice sentait trembler sa main dans la sienne et elle avait une mollesse équivoque de main de malade.

— J'y ai pensé tout à coup, ajouta-t-elle. Oui, pendant ! Mais je n'osais pas bouger, je n'osais rien dire. J'ai seulement tourné la tête et je vous voyais. Il m'a annoncé qu'il me

tuerait si je parlais. Il vous tuerait aussi.
C'est pourquoi je continue à sortir avec lui.

Sa voix était moins pathétique.

— Je ne sais pas pourquoi il a fait ça. Il
travaille dans un garage. Il gagne bien sa vie.
Des amis ont dû l'entraîner. Maintenant, il
n'ose même pas toucher aux deux mille
francs, parce qu'il craint que l'on connaisse
le numéro des billets.

M. Hire eut un mouvement pour se lever,
mais elle le retint.

— Dites, est-ce que vous me croyez quand
je vous jure que c'était la première fois et que
je n'ai même pas eu de plaisir ?

Elle avait une hanche contre lui. Elle frémissait. Tout son être frémissait, tout était
vivant et chaud, et son visage, après les
larmes, était plus coloré, les lèvres sai-
gnantes, le regard humide. Le bébé pleurait,
en haut. Pour le bercer, quelqu'un battait la
mesure sur le plancher. M. Hire, pour la première fois, n'entendait plus le galop saccadé
de son réveille-matin.

— Vous me détestez ?

Elle s'impatientait. Elle avait peur d'un
geste, d'un mot qui suffirait à rompre le
charme.

— Venez tout près... plus près...

Elle l'attirait. Le coude de M. Hire pesa sur
son sein.

— Je suis toute seule ! parvint-elle à san-
gloter.

Et il la regarda, de près, les sourcils froncés. Il sentait son haleine contre son visage. Il était presque couché sur elle et elle bougeait toujours comme si elle eût voulu l'imprégner de sa chair.

— Je sais qu'Emile fera ce qu'il a dit !

Elle perdait courage, avait peine à ne pas laisser voir son impatience qui devenait de la rage.

— Vous ne voulez pas m'aider ?

Elle le tenait aux épaules. Il n'y avait plus que cela à tenter. Elle lui entourait le cou de son bras, collait sa joue brûlante à sa joue.

— Dites... dites...

Elle vibrait vraiment, mais d'angoisse. Et voilà qu'il disait tout bas, à son oreille :

— J'ai été très malheureux !

Il ne profitait pas de leur corps à corps, il ne semblait pas sentir ce ventre écrasé contre le sien, ni la jambe nouée à sa jambe. Il fermait les yeux. Il la respirait.

— Ne bougez pas ! supplia-t-il.

Elle en profita pour détendre ses traits, qui eurent un instant une expression d'ennui et de fatigue. Quand il entrouvrit les paupières, elle murmura avec un sourire :

— C'est gentil, chez vous.

C'était cru, peut-être faute d'abat-jour à la lampe électrique. Les lignes étaient nettes. Les couleurs tranchaient les unes sur les autres. La toile cirée faisait de la table un rectangle aussi dur et froid qu'une pierre tombale.

— Vous êtes toujours seul ?

Il voulut se lever, mais elle le retint, se serra contre lui.

— Non. Restez. Je suis si bien ! Il me semble...

Et, soudain, gamine :

— Est-ce que vous me permettrez de venir de temps en temps faire votre ménage ?

Elle aurait voulu davantage. Elle s'obstinait à obtenir un autre lien entre eux, mais il ne semblait pas comprendre et elle craignait de l'effaroucher par trop de précision.

— Vous me sauverez, n'est-ce pas ?

Elle changeait d'attitude selon l'inspiration et ce mot-là, par exemple, fut prétexte à tendre vers lui ses lèvres humides. Il ne fit que les effleurer. Il lui caressait la tête de la main, le regard ailleurs.

— Vous êtes célibataire ? Veuf ?

— Oui.

Elle ne savait pas si le oui se rapportait au mot veuf, ou au mot célibataire. Et il lui fallait parler. Un silence et leur situation paraîtrait saugrenue, couchés dans cette chambre sans intimité, près de la fenêtre garnie de papiers gris.

— Vous travaillez dans un bureau ?

— Oui.

Elle avait si peur de le voir se lever et reprendre son air lointain qu'elle se blottit davantage, avec un geste dont la précision pouvait passer pour involontaire.

Il ne dit rien. Cela l'encouragea. Tout son corps s'agita, sembla vouloir prendre possession de l'homme tandis qu'elle collait sa bouche à la sienne, sous les moustaches dures.

Les paupières de M. Hire battirent. Doucement, il se dégagea. Doucement aussi il mit sa joue contre la joue d'Alice, si bien que les deux visages étaient tournés vers le plafond.

— Ne bougez pas.

Il suppliait, dans un souffle, serrait la main de sa compagne et il respirait par saccades. Sa lèvre se souleva et soudain il se leva, au moment même où ses yeux allaient se mouiller.

— Je ne dirai rien, balbutia-t-il.

Son veston restait soulevé sur ses hanches grasses. Il s'avança vers le poêle tandis qu'Alice s'asseyait au bord du lit, sans s'inquiéter du désordre de sa toilette.

— Ils ne peuvent quand même rien vous faire, à vous ! Et c'est du temps de gagné.

Elle parlait calmement, le menton sur les mains, les coudes sur les genoux.

— Cela doit vous être égal qu'ils vous soupçonnent.

M. Hire remontait le réveille-matin.

— Quand l'affaire se sera tassée, il quittera la région et nous serons tranquilles.

M. Hire n'entendait que le bourdonnement de sa voix. Il était las, d'une lassitude à la fois physique et morale. Elle ne le sentit pas tout de suite et elle continua à parler, debout maintenant, en arpentant la chambre. Quand elle constata qu'il était redevenu de cire, elle lui tendit la main en souriant.

— Bonsoir. Il faut que je m'en aille.

Il mit une main molle dans la sienne.

— C'est vrai, que vous m'aimez un peu ? insista-t-elle.

Au lieu de répondre, M. Hire ouvrit la porte, qu'il referma à clef derrière elle.

Alice galopa dans l'escalier, traversa la cour dans une bouffée de froid et entra chez elle encore toute animée. Elle aperçut aussitôt les trois feuilles de papier gris qui lui cachaient désormais M. Hire, esquissa un sourire satisfait et, une fois de plus, retira son corsage, sa jupe, s'étira, arracha enfin sa chemise. Elle s'adressait à elle-même des œillades dans le miroir. Elle imaginait un tout petit trou dans le papier gris et l'œil de M. Hire embusqué comme il l'était derrière la serrure.

Elle traîna, imagina même de se laver des pieds à la tête pour errer plus longtemps nue dans la lumière de sa chambre. De temps en temps, pourtant, elle avait un regard froid, rancunier, et elle grondait comme une menace :

— L'imbécile !

Mais l'imbécile n'était pas derrière le papier gris. Il était resté debout, la main sur la clef, appuyé à la porte, et ce qu'il regardait, c'était sa chambre, le réveille-matin blanc sur la cheminée noire, le poêle à trois pieds, le placard, la toile cirée et la cafetière, son lit enfin, où il y avait un creux anormal.

Sa main lâcha enfin la clef. Son bras retomba. Il soupira et ce fut tout pour ce soir-là.

6

Monsieur le procureur de la République, Monsieur le procureur de la République, Monsieur le procureur de la République, Monsieur le pro...

M. Hire déchira son buvard rose en tout petits morceaux qu'il jeta dans le poêle et resta un moment à regarder les flammes. Il avait beaucoup travaillé. Comme chaque lundi, les réponses à ses annonces étaient nombreuses, car les petites gens profitent du dimanche matin pour écrire. Et il y avait par surcroît le courrier du samedi qu'il n'avait pas ouvert.

Tout seul dans son sous-sol, il avait ficelé cent vingt paquets qu'il n'avait pu porter à la poste qu'en trois fois. L'exercice lui faisait du bien. Au troisième voyage, il avait presque souri en voyant se refléter dans une vitrine la silhouette découragée de l'inspecteur qui le suivait. Ce n'était pas le même que d'habitude, mais un petit barbu aux dents gâtées qui avait grelotté toute la journée, col relevé, en face du 67.

Monsieur le procureur de la République, Monsieur le...

Depuis deux heures qu'il avait fini son travail, M. Hire faisait des dessins sur son buvard, écrivait des mots, les raturait et maintenant il renonçait soudain à trouver une idée, quelque chose d'adroit, de subtil, qui détournerait les soupçons de la maison de Villejuif.

Un peu avant sept heures, il s'assura que le poêle s'éteindrait doucement, tourna le commutateur et sortit, sa serviette noire sous le bras. Le petit homme était debout au coin de la rue et il prenait la peine de jouer au monsieur qui a un rendez-vous. Tout le long du boulevard Voltaire, il marcha en longeant les maisons, se cachant derrière un passant quand M. Hire se retournait. On avait dû oublier de lui dire que cela n'avait aucune importance.

Il était sûrement marié, père de famille et malchanceux, cela se sentait à quelque chose d'indéfinissable. Quand M. Hire entra dans le restaurant où il avait sa serviette dans un casier, le policier resta dehors, passa deux ou trois fois, effacé comme un fantôme, derrière la vitre embuée.

Les nappes étaient en papier, les tables très petites et le service fait par des femmes

94

en noir et blanc, le menu, enfin, écrit à la craie sur une grande ardoise.

Tout en mangeant du boudin aux pommes, M. Hire pensait toujours, cherchait toujours, et quand il leva la tête ce fut pour dire d'une voix qui parut anormale :

— Du vin rouge.

Ce n'était jamais arrivé. Jamais il n'avait bu autre chose que de l'eau ou du café au lait.

— Une carafe ?

Elle fit une tache couleur de rubis, avec un reflet, sur le papier blanc de la table. M. Hire mit un peu de vin dans son verre, noya d'eau jusqu'à obtenir une teinte rose. Au moment où il buvait, il surprit les regards échangés par les serveuses et il continua à boire, mais l'élan était perdu, le plaisir gâté. Il sourit ironiquement.

Quand il sortit, le policier était en face, dans un bar mal éclairé, à manger un croissant trempé dans du café, et M. Hire le vit pousser un demi-croissant en bouche, fouiller ses poches, jeter de la monnaie sur le comptoir.

Un autobus passait au ras du trottoir. M. Hire aurait pu sauter sur la plate-forme et laisser l'inspecteur en panne. Il ne le fit pas. Il marcha le ventre en avant, car il avait beaucoup mangé et surtout il avait conscience de l'importance de chacun de ses gestes.

Il n'allait pas loin. Près de la place Voltaire, un grand café illuminait près de cent mètres du boulevard. M. Hire entra et à mesure qu'il pénétrait dans le tumulte il poussait davantage sa poitrine devant lui, tenait sa serviette sous le bras avec plus d'assurance tandis qu'un sourire commençait à flotter sur ses lèvres.

A gauche du café, il y avait un cinéma qui appartenait à la même direction et qui annonçait son spectacle par une sonnerie ininterrompue. On l'entendait de partout. La salle était immense. D'un côté des gens mangeaient. De l'autre, il y avait des tapis rouges sur les tables occupées par des joueurs de cartes. Au fond, six billards étaient éclairés par des réflecteurs verts et les hommes qui tournaient autour, cérémonieux, étaient en manches de chemise.

Il y avait des femmes, des enfants, qui attendaient que la partie du père soit terminée. Quarante garçons qui couraient entre les rangées de tables en criant :

— Attention !

Et, sur une estrade, un pianiste, un violoniste et une femme violoncelliste annonçaient le morceau qu'ils allaient jouer en suspendant des chiffres en carton à une tringle de cuivre.

M. Hire traversait tout cela en sautillant. Quand il passa devant la caisse, au fond, le gérant lui adressa un petit salut personnel.

Ici, on entendait toujours la sonnerie du cinéma, l'orchestre qui s'accordait, le heurt des billes de billard, mais d'une porte ouverte parvenaient d'autres bruits, des roulements suivis d'une sorte de tonnerre.

M. Hire marchait vers le tonnerre. Il franchit la porte au-delà de laquelle il n'y avait plus cette profusion de lumières brillantes, mais un éclairage rare et sérieux d'usine ou de laboratoire. Il retira son chapeau, son pardessus, remit sa serviette au garçon et passa par le lavabo où il se donna un coup de peigne et se lava les mains.

Quand il en sortit, le policier s'était décidé à entrer. Il s'était assis à une table, dans un coin, sans oser enlever son pardessus. Il devait être mal à l'aise et se demander s'il était dans un endroit public ou privé.

La salle était carrée, couverte d'une verrière. Il n'y avait que quelques tables portant des verres de bière, mais personne n'était assis à ces tables.

Les gens étaient plus loin, groupés près des quatre jeux de quilles. Au mur pendait un avis :

Bowling Voltaire Club

Et M. Hire s'avançait avec une aisance de danseur, tendait une main que chacun serrait. Oui, chacun serrait la main de M. Hire, même les joueurs qui avaient une grosse balle garnie de cercles de fer aux doigts et qui suspendaient un instant la partie. Chacun connaissait M. Hire. Chacun lui parlait.

— On vous attend.

— Vous avez le numéro quatre.

Les hommes étaient sans veston et M. Hire retira le sien qu'il posa sur une chaise, bien plié, non sans un regard au petit policier qui était tout seul, là-bas, devant un des guéridons verts.

— Qu'est-ce que je vous sers, monsieur Hire ?

C'était le garçon, qui le connaissait aussi.

— Eh bien, donnez-moi un kummel !

Tant pis ! Il y était décidé. En attendant son tour, il suivait les coups d'un regard un peu dédaigneux et à certain moment le policier l'entendit fredonner la valse que jouait l'orchestre de la grande salle.

— A vous !

M. Hire se tourna vers l'inspecteur et soupira de contentement, dit à son partenaire :

— Commencez, je vous prie.

Il cherchait, parmi les grosses boules, sa boule habituelle, qu'il reconnut, soupesa, fit basculer trois ou quatre fois avant d'aller prendre place très loin de la planche sur laquelle elle devait glisser avant d'atteindre les quilles. Son adversaire en avait renversé cinq.

M. Hire, penché en avant, le bras ballant,

attendait qu'on les eût relevées tout en fermant à demi les yeux et en tâtant le sol de son pied droit comme un coureur qui prend son élan. Vingt personnes le regardaient. Il avait ses disques roses aux pommettes, les lèvres entrouvertes.

Il partit soudain en courant à tout petits pas pressés. La lourde boule semblait l'entraîner mais, à un moment donné, elle se détacha de lui et roula le long de la planche, pas très vite, animée d'un mouvement de rotation sur elle-même. Elle atteignit une première quille et dès lors se comporta comme une toupie, ou mieux comme si elle eût été douée d'intelligence. On eût juré qu'elle changeait de route, acharnée à tout renverser.

Une seule quille resta debout tandis que M. Hire fronçait les sourcils, essuyait de son mouchoir ses paumes moites.

Le garçon lui tendait son kummel qu'il but négligemment à petites gorgées avant de ramasser la boule qu'on lui renvoyait. Son regard mesurait, calculait, combinait. Le front plissé, il s'élança, lâcha la boule et frappa le sol du pied car, cette fois encore, une quille sur neuf restait debout.

— Vous vous énervez, lui dit le secrétaire du club qui était sous-chef de bureau dans un ministère.

M. Hire ne répondit pas. Il n'avait pas le temps de répondre. Il s'essuyait à nouveau les mains, soigneusement, entre les doigts, en profitait pour s'éponger le front et la nuque.

— ... han ! fit-il au moment où la boule se séparait de son corps.

Il n'avait pas besoin de la suivre des yeux. On applaudissait. Et lui, sans rien dire, allait reprendre sa boule au bout de la gouttière par laquelle on la lui renvoyait, il se baissait, courait à tout petits pas.

— Neuf !

C'était un fracas glorieux que celui des neuf quilles qui s'abattaient, d'autant plus glorieux qu'il y avait un moment d'anxiété, le temps que mettait la dernière quille à osciller comme si elle se fût refusée à tomber.

— Et neuf encore !

Cinq fois neuf coup sur coup ! Il haletait. Jusqu'à son menton qui était couvert de sueur. Les cheveux lui collaient aux tempes.

Il avait fini. Il souriait en remettant son veston par crainte de prendre froid, s'avançait vers ses compagnons.

— J'ai une autre partie à faire ?

— Tout à l'heure, contre Godard.

Il n'engagea pas de conversation. Désinvolte, le mouchoir dans ses mains suintantes, il allait d'un jeu à l'autre et regardait partir la balle, approuvait gentiment des coups de quatre ou de cinq.

La lumière, la température, l'aridité du

décor, la gravité de tous ces hommes faisaient penser à une salle d'armes, ou à un
manège. C'était sérieux. Il n'y avait pas une
femme. De l'autre côté de la porte, les
joueurs de billard, eux, s'agitaient dans la
salle commune, dans la musique, et les
gosses venaient tourner autour des tapis
verts. Plus loin, les joueurs de cartes avaient
à côté d'eux leur femme qui disait :

— Pourquoi ne coupes-tu pas ?

Et, plus loin, encore, c'était le cinéma.
Entre tous ces murs il y avait peut-être trois
mille personnes qui buvaient, mangeaient,
jouaient, fumaient et les bruits se superpo-
saient sans se confondre, sans s'étouffer,
même le timbre grêle qui résonnait chaque
fois qu'un verre était servi, et celui de la
caisse enregistreuse, précédé d'un son de
manivelle.

Où était le petit policier ? Il n'y avait plus
personne auprès des guéridons verts. Son
chapeau seul était resté sur la chaise.

M. Hire, les mains dans les poches, fit les
cent pas et quand il put voir au-delà de la
porte ouverte il aperçut son inspecteur en
conversation avec le garçon. Il sourit,
regarda l'heure à sa montre.

— Vous dites qu'il vient tous les premiers
lundis du mois ?

— C'est le jour du club. Il y en a qui s'entraînent les autres jours, mais lui pas.

Le garçon s'étonnait, observait l'inspecteur avec méfiance.

— Puisque vous êtes de la police, vous devriez le connaître, car il en est aussi, et même il doit être quelqu'un de haut placé.

— Ah ! Il dit qu'il est de la police ?

— Tout le monde le pensait déjà avant qu'il le dise. Il en a assez l'air.

— Il y a longtemps qu'il fait partie du club ?

— Peut-être deux ans. Je m'en souviens parce que c'était déjà moi qui servais au bowling. Il est entré comme vous, timidement, un soir, et il m'a demandé si c'était public. Il s'est assis là-bas, sa serviette sur les genoux, et il a commandé un café crème. Pendant deux heures, il est resté à sa place, tant le jeu le passionnait puis, quand tout le monde a été parti, il a relevé les quilles et il a essayé, tout seul. Il a rougi en me voyant et c'est moi qui lui ai conseillé de s'inscrire, vu que ça ne coûte que trente francs par an...

M. Hire les regardait de loin.

— Et c'est lui qui a parlé de la police ?

— On est resté des mois à se demander ce qu'il faisait. Il ne parle pas beaucoup. Même maintenant qu'il est le meilleur joueur du club, il ne voit aucun membre en dehors d'ici. Alors, un jour, le trésorier a parié qu'il saurait quoi et il lui a posé la question à brûle-pourpoint.

— Quelle question ?

— Il lui a dit :

» — Vous êtes de la haute police, pas vrai ?

» M. Hire a rougi, ce qui était une preuve. On a pensé que les gens de la police ont parfois des cartes de théâtre et on lui en a demandé. Il en apporte presque chaque fois...

Quand l'inspecteur rentra dans la salle de bowling, M. Hire achevait sa seconde partie et, comme c'était celle qui décidait de la poule mensuelle, tout le monde était autour de lui. Le prix, cette fois, était une dinde, que le trésorier avait posée sur un guéridon, près du jeu. Des gens vinrent du billard pour assister à la fin du combat.

M. Hire allait et venait, en manches de chemise, les moustaches bien troussées, les lèvres rouges. Tous ses mouvements avaient une aisance surnaturelle. Ses pieds se posaient sur le sol à l'endroit précis où ils devaient se poser. Son bras faisait décrire à la boule un arc de cercle d'une pure géométrie.

La femme du président attendait son mari tout en boutonnant ses gants de fil gris et en regardant la dinde, dont elle avait tâté la chair jaune.

— Neuf !

C'était d'une précision mécanique. M. Hire ne voyait personne. Les gens n'étaient qu'un décor, une fresque des deux côtés du jeu. Il se risqua, en attendant qu'on eût redressé les quilles, à lancer la balle en l'air d'un geste négligent et à la rattraper par les trous, à trois doigts. L'inspecteur était un des spectateurs les plus proches et, peut-être pour lui, M. Hire joua en fantaisie, faisant précéder le lancement d'un triple moulinet.

— Neuf !

Alors il tendit la main vers la foule.

— Un foulard, dit-il d'une voix courte.

On lui donna un cache-col gris qu'il se mit autour de la tête de façon à voiler les yeux. Il tendit à nouveau la main en tâtonnant pour trouver la boule.

— Huit !

Des applaudissements éclatèrent tandis qu'il arrachait le foulard et murmurait, hésitant :

— A qui ?

Il lui restait un coup à jouer et il cherchait encore quelque chose d'extraordinaire à tenter, n'importe quoi. Il était capable de tout réussir ! Il ne sautillait pas. Il bondissait, léger comme un ballon.

— Trois points encore et vous gagnez, annonça le secrétaire.

Il fut un moment immobile, comme sans courage, puis il marcha vers le bout de la planche d'où la boule devait partir, tourna le dos au jeu, écarta les jambes. Il voyait le pauvre petit inspecteur devant lui. Il éleva la balle à hauteur de sa tête et la projeta derrière lui, entre ses genoux.

— Sept !

Tout le monde parlait à la fois. On endossait les vestons, les pardessus. On s'en allait. M. Hire s'approcha de la femme du président.

— Permettez-moi de vous offrir...

Il montrait la dinde.

— A une condition, c'est que vous veniez la manger avec nous.

— Excusez-moi. C'est impossible. Mon service...

C'était fini. On ne faisait déjà plus attention à lui. Des mains distraites touchaient d'autres mains distraites.

— On vous voit demain ?

Et le bruit des billes de billard reprenait le dessus. Le garçon avait éteint la moitié des lampes comme au cirque aussitôt après le dernier numéro et c'était la même lumière poussiéreuse, le même vide qui régnait. Cependant M. Hire n'avait pas épuisé toute la vie dont il s'était gonflé. Il allait et venait, inutile, inaperçu, le sang aux joues, les yeux brillants, et soudain il se campa en face de l'inspecteur qui comptait la monnaie que le garçon venait de lui rendre.

— Eh bien, mon petit bonhomme ?

Les mots avaient jailli comme ça, avec

dit ça aux petits 105

emphase, et M. Hire avait un regard protec-
teur.

— Je vous fais faire un drôle de métier,
hein !

Malgré tout, ses lèvres tremblaient, moins
de crainte que d'excitation. Peut-être le policier n'était-il pas plus à son aise, car il balbutia après avoir toussé dans sa main :

— Vous me parlez ?

— Mon pardessus, Joseph ! préféra crier
M. Hire.

Le président le prenait à part.

— Ma femme me dit... Vous ne voulez
vraiment pas votre dinde ? Vous pourriez
faire plaisir à quelqu'un...

— Je vous assure... affirma-t-il avec un
froid sourire.

On n'aurait pas pu dire pourquoi cela
finissait toujours ainsi, par une sorte de
débâcle. Il n'y avait plus qu'un groupe de
quatre ou cinq membres du comité qui dis-
cutaient des nouveaux statuts. Ils se conten-
tèrent de saluer de loin M. Hire et dès qu'il
eut le dos tourné ils se poussèrent du coude,
parlèrent à voix basse, appelèrent le garçon.

— Qu'est-ce que c'était, l'autre ?

— Le petit barbu au pardessus râpé ? Un
inspecteur de la Sûreté.

Ils se regardèrent, ravis.

— Qu'est-ce que je vous avais dit ?

M. Hire traversait la grande salle, sa serviette sous le bras, nageant contre la foule.

C'était l'entracte du cinéma qui déversait sa clientèle dans le café. Il était bousculé, coincé entre des coudes. Son chapeau fut enlevé et il le retrouva un mètre plus loin en équilibre sur une épaule.

Il s'arrêta hésitant au bord du trottoir, dans la lumière orangée de l'enseigne lumineuse. Le boulevard était désert, hormis les spectateurs du cinéma qui ne voulaient pas boire et qui restaient debout dans l'ombre pour fumer une cigarette en attendant la sonnerie.

Deux mètres plus loin, au bord du trottoir aussi, l'inspecteur battait la semelle en relevant le col de son pardessus, car il commençait à tomber une pluie fine et froide.

Monsieur le procureur de la République, Monsieur le pro...

La silhouette de M. Hire disait son indécision. Il y eut à sa gauche le bruit d'une voiture que l'on met en marche et il vit le président et la présidente dans une petite conduite intérieure toute trépidante. La dinde, mal enveloppée d'un morceau de journal, était sur les genoux de la femme.

En passant devant M. Hire, le président fit un signe de la main, mais sa compagne ne le vit même pas.

Au milieu du boulevard, cinq taxis attendaient l'un derrière l'autre et M. Hire leva le bras. Le premier chauffeur descendit de son siège pour tourner la manivelle. La mine de l'inspecteur se renfrogna.

— A Villejuif, un peu après le carrefour. Je vous arrêterai.

Le taxi sentait la poudre de riz et il y avait un œillet fané sur la banquette. A travers la glace, M. Hire vit le policier barbu qui hésitait encore et qui se décidait enfin à partir à pied dans la direction du métro.

Le kummel lui brûlait l'estomac. Ses genoux tremblaient comme chaque premier lundi du mois quand il avait joué aux quilles.

C'était comme un refroidissement lent. Petit à petit, M. Hire se mettait à la température de l'auto. Sa nervosité, sa fièvre, son entrain s'évaporaient et il s'enfonça jusqu'au nez dans le col de son manteau. Sans bouger de son siège, sans ralentir, le chauffeur ouvrit la portière d'une main et cria en se penchant à peine :

— Je prends par la porte d'Italie ?

— Par où vous voudrez.

La portière claqua. La vitre descendit de deux centimètres et il y eut désormais un courant d'air glacial.

Monsieur le procureur de la République...

On longea le terrain vague où la femme avait été tuée. Le chauffeur devait le savoir, car il ralentit pour regarder la palissade. Au coin de la rue, il y avait une fille, comme toujours, qui suivit le taxi avec des yeux indifférents.

La concierge fut dure à réveiller. Quand M. Hire dit son nom en passant devant la loge, il entendit remuer sur un lit. Lentement, il monta les quatre étages et atteignit son palier quand la minuterie avait déjà éteint les lampes.

En ouvrant sa porte, il fronça les sourcils, surpris par quelque chose d'inaccoutumé. L'obscurité n'était pas absolue. Il y avait un reflet rougeâtre sur le plancher, un léger ronronnement, des bouffées de chaleur.

La lampe allumée, il vit qu'il y avait du feu, et sa cafetière fumante sur le poêle. Son lit était ouvert. Au milieu de la table, dans un verre, il y avait quatre ou cinq fleurs, des fleurs assez tristes, il est vrai, car à Villejuif on ne vend guère que des fleurs de cimetière.

M. Hire referma la porte et, avant même de retirer son manteau, se dirigea vers la fenêtre, souleva un des papiers gris. La lampe était allumée, en face. Mais Alice s'était endormie. Son livre avait glissé sur la couverture. Les yeux clos, la poitrine soulevée par un souffle régulier, elle avait la tête posée sur son bras replié qui découvrait les poils roux des aisselles.

Monsieur le procureur de la République...

Il trépignait presque, d'impatience, d'impuissance.

Monsieur le pro...

D'un geste rageur, il passa sa main à rebrousse-poil dans ses cheveux et commença à se déshabiller, regardant tantôt les fleurs, tantôt le lit, tantôt le poêle allumé.

Puis il revint à la fenêtre. Alice avait déployé son bras. Elle était maintenant sur le dos et elle avait repoussé la couverture. Ses seins larges, épais, pointaient sous la chemise de toile.

La veille, c'était sur le lit de M. Hire qu'elle était étendue. Il s'y assit pour retirer ses chaussettes, marcha pieds nus, ferma à moitié la clef du poêle et retira la cafetière brûlante.

Enfin, il alla rabattre le papier gris, après un dernier regard oblique. Sa lampe s'éteignit. Son lit grinça. Un vacarme traversa l'espace du côté de la route : c'était le camion du service rapide de Lyon, lancé à cent kilomètres à l'heure avec huit tonnes de charge. La tasse vibrait encore sur la soucoupe que le bruit était éteint.

Il fallut une heure pour que la respiration de M. Hire devînt rythmée. Sa main pendait du lit. A chaque expiration, ses lèvres s'entrouvraient en faisant : *pfff*... et les poils inférieurs de ses moustaches frémissaient.

Il dormait toujours, comme les autres matins, quand, à six heures, la servante se leva, éteignit la sonnerie de son réveil et s'habilla sans se laver, les yeux gros de sommeil, la bouche pâteuse, pour aller laver la boutique et mettre les bouteilles de lait aux portes.

— De l'audace ! se répétait M. Hire.

Et il balbutiait en se faufilant :

— Pardon... Pardon...

Il pleuvait à seaux et la question n'était plus de se glisser entre les gens mais de faire évoluer son parapluie dans la masse des parapluies. Dans le tramway, M. Hire dut le tenir au bout de son bras écarté, tant la soie était mouillée.

— De l'audace !

L'inspecteur était assis devant lui, pas le petit barbu, mais celui qui était toujours chez la concierge, et M. Hire le regardait sans broncher. Le tramway sonna, se mit en branle dans la direction de Paris. M. Hire, malgré le temps maussade et les mines renfrognées, bombait le torse comme la veille quand il jouait au bowling et se tenait tout droit sur sa banquette. Sous les sourcils épais, d'un noir d'encre, son regard ressemblait à celui qu'on lance aux enfants turbulents pour leur faire peur. Il eut des gestes lents, solennels, quand le receveur passa, pour enlever son gant, tirer son portefeuille de sa poche et y prendre son carnet de tickets.

— De l'audace !

A la porte d'Italie, il dédaigna le métro et s'installa dans un autobus, en première classe, tandis que l'inspecteur restait sur la plate-forme. A mesure qu'il approchait du but, il était pris d'impatience, de vertige. Place du Châtelet, il dégringola littéralement de l'autobus et courut le long du quai des Orfèvres.

— De l'audace !

Dans l'escalier vaste et poussiéreux de la Police Judiciaire, seulement, il déploya le billet qui le convoquait pour le lendemain et lut le nom du commissaire.

— Le commissaire Godet, s'il vous plaît ? disait-il l'instant d'après au garçon de bureau.

Et il foudroyait celui-ci du regard, soupirait, faisait quelques pas sur place à la manière d'un monsieur très pressé qui va être reçu tout de suite.

— Vous êtes convoqué ?

— Oui... Non... Remettez-lui ma carte...

Une heure s'écoula. Au bout d'un couloir sonore comme un tambour, où des gens ne cessaient de marcher, de s'arrêter, de repartir, d'ouvrir des portes et de marcher encore, ils étaient cinq visiteurs d'abord, dans une salle vitrée garnie de fauteuils verts. Puis ils furent sept, puis seulement six, puis trois, puis encore cinq. L'huissier, de temps en temps, venait chercher quelqu'un, mais ce n'était jamais M. Hire.

— Vous ne m'oubliez pas ?

Non ! L'huissier lui fit signe que non et s'approcha d'une jeune femme quelconque qui était arrivée la dernière.

— C'est vous qui demandez à voir M. Godet ? Voulez-vous vous donner la peine de me suivre ?

M. Hire arpentait quand même la salle d'attente d'un air important, sa serviette sous le bras, se campait sous le tableau des policiers morts pour la Patrie. L'huissier revint enfin, fit un mouvement du menton et marcha le long du couloir sans essayer de savoir si on le suivait. Il ouvrit une porte, s'effaça. Un homme, penché sur un bureau d'acajou et occupé à signer des pièces, ne leva même pas la tête pour prononcer :

— Fermez la porte. Asseyez-vous.

Il continua à signer, tandis que M. Hire, la serviette sur les genoux, s'efforçait de gonfler une dernière fois sa poitrine.

— Qu'est-ce que vous voulez ?

— Je suis convoqué pour demain.

— Je sais. Ensuite ?

Il signait toujours. Il n'avait pas levé une seule fois les yeux et il ne devait pas savoir comment son interlocuteur était fait.

— J'ai pensé que le mieux était de tenter une démarche franche et loyale...

Le commissaire lui lança un regard d'un dixième de seconde, un regard indifférent, avec à peine un rien d'étonnement.

— Vous avouez ? dit-il simplement en recommençant à écrire.

M. Hire fit un effort surhumain et parla avec assurance.

— C'est pour vous parler d'homme à homme que je suis venu de moi-même et, d'homme à homme, je vous donne ma parole d'honneur que je suis innocent et que jamais je n'ai vu cette femme qui a été assassinée. Nous perdons du temps, vous et moi. Voilà trois jours que vos inspecteurs me suivent, fouillent mes tiroirs et...

— Un instant !

Le commissaire levait la tête, les yeux encore pleins de son précédent travail.

— Voulez-vous que votre interrogatoire ait lieu aujourd'hui ?

— Je vous disais...

— Dans ce cas, tenez-vous à la présence d'un avocat ?

— Puisque je suis innocent, et que je vais vous expliquer...

Le commissaire pressa un timbre. M. Hire ouvrit la bouche, mais on lui fit signe de se taire. La porte s'ouvrit.

— Entrez, Lamy. Asseyez-vous ici et prenez note.

Le bureau était encombré de papiers et de temps en temps le commissaire en prenait un, comme au hasard, le lisait avec attention, ce qui ne l'empêchait pas de parler.

— Dites-moi, monsieur Hire, que faisiez-vous la nuit du crime ?

— J'étais chez moi, dans mon logement, comme chaque soir. Je me suis couché et...

— Vous êtes en mesure de le prouver ?

— La concierge vous le dira.

— Justement, la concierge prétend que vous êtes rentré vers sept heures dix comme d'habitude, mais que vous avez dû ressortir puisque vous avez demandé le cordon pendant la nuit, venant du dehors.

— C'est impossible !

Il souriait encore.

— Je n'avais aucune raison de sortir. Quant à tuer une femme...

Il regarda avec inquiétude le jeune homme qui ne cessait d'écrire.

— Donc, personne ne peut témoigner que vous étiez chez vous ?

— C'est-à-dire... Non !

Il était déjà démonté et, le visage soudain pourpre, il s'écria :

— Je veux être franc jusqu'au bout. C'est pour cela que je suis venu. Je n'ai pas tué. Je sais qui a commis le crime, mais je ne puis le dire. Comprenez-vous la situation ? D'homme à homme, je voulais...

— Ne nous embrouillons pas, monsieur

Hire. D'ailleurs, vous ne vous appelez pas Hire.

Il attirait à lui un nouveau papier.

— Votre nom est Hirovitch.

— Hirovitch, dit Hire. Mon père déjà se faisait appeler Hire.

— Il était polonais, à ce que je vois. Né à Wilna.

— Russe. Juif russe ! A cette époque, Wilna appartenait à la Russie.

C'en était fini de l'audace, des explications d'homme à homme. Il répondait désormais aux questions avec l'humilité effrayée d'un écolier qu'on interroge.

— Eh bien, monsieur Hirovitch, qui parliez tout à l'heure de parole d'honneur, je constate que, tout d'abord, votre père qui était tailleur d'habits, rue des Francs-Bourgeois, a fait faillite. Vous êtes bien né rue des Francs-Bourgeois, n'est-ce pas ? Et votre mère était d'origine... attendez...

— Arménienne.

C'était faux à force d'être vrai. M. Hire souffrait de ne pas pouvoir l'expliquer.

— L'examen de la comptabilité a prouvé que votre honorable père, outre son métier de tailleur, se livrait occasionnellement à l'usure.

Comment faire pour décrire la petite boutique de la rue des Francs-Bourgeois où cela sentait le drap et la craie de tailleur, l'unique pièce de derrière où il fallait vivre, le gaz allumé toute la journée et le père Hire surtout, si brave, si digne, qui s'astreignait à suivre scrupuleusement les rites de la religion juive ? S'il n'était pas français, il n'était pas russe non plus. Il ne parlait que le yiddish, et la grasse Arménienne de maman, jaune comme un coing, n'avait jamais pu le comprendre tout à fait.

Faillite ? Usure ? Mais le vieux M. Hire ne taillait pas une fois par an un costume dans du tissu neuf. Il retournait de vieux habits. Il faisait des vêtements d'enfants avec les jambes de vieux pantalons. Et quelquefois il acceptait en payement des reconnaissances du Mont-de-Piété.

Les dernières années, la mère ne pouvait même plus remuer tant elle était gonflée et, chaque soir, le jeune Hire et son père devaient la soulever pour la porter sur son lit.

— Je vous assure, monsieur le commissaire...

— Un instant. Vous avez opté pour la France. Donc, vous êtes français. Mais vous avez été réformé pour insuffisance cardiaque.

Il lui lança un coup d'œil qui semblait mesurer sa largeur d'épaules, évaluer la capacité de sa poitrine, apprécier la mollesse des chairs.

— Vous avez déjà été malade ?

— Pas ce qu'on appelle malade, mais...

— Qu'est-ce que vous avez fait après la faillite, quand votre père est mort ?

Le commissaire avait l'air de s'ennuyer et toujours il feuilletait des papiers qu'il lisait pendant les réponses.

— J'étais vendeur dans un magasin de confection de la rue Saint-Antoine.

— Aboyeur, exactement. Ou racoleur. Vous arrêtiez les passants sur le trottoir pour les décider à entrer. Voulez-vous me dire pourquoi vous avez quitté cette profession en somme assez honorable ?

M. Hire pâlit comme si on l'eût forcé à avouer un crime.

— L'hiver, j'avais froid et...

— Il y en a d'autres qui ont froid et qui restent honnêtes.

— Moi je...

— Vous oubliez, monsieur Hire, que vous avez fait six mois de prison pour attentat à la pudeur.

Il ne dit rien. Il ne pouvait plus rien dire. Ce n'était pas la peine. Mais son regard ne se détournait pas du commissaire. Il restait rivé à lui, au contraire, comme celui d'un animal battu qui se demande le pourquoi de la méchanceté des hommes.

— Je vous retrouve voilà six ans, établi éditeur rue Notre-Dame-de-Lorette. Quand je dis éditeur... Vous aviez la spécialité de petits livres plus ou moins galants et aussi de ce que vous appelez en termes de métier les

118

ouvrages de flagellation. Un de ces livres vous a valu la correctionnelle et six mois. Mais ce n'est pas cela qui importe. La maison existait avant vous. Vous avez racheté le fonds pour trente mille francs. Voulez-vous m'indiquer d'où venaient ces trente mille francs ?

Il ne broncha pas, n'essaya pas de parler.

— Huit jours avant, vous geliez sur le trottoir de la rue Saint-Antoine, et vous gagniez à peine de quoi manger. Le fonds a été payé comptant.

— J'avais quelqu'un derrière moi.

— Qui ?

— Je ne peux pas vous le dire. Quelqu'un m'a demandé de tenir cette maison pour son compte. J'étais son gérant.

— Et c'est vous qui êtes allé en prison. Parfait ! On vous a d'ailleurs relâché un mois avant la fin de votre peine parce que vous étiez bien gentil. Qu'avez-vous fait alors ?

Un nouveau papier arrivait sous les yeux du commissaire.

— Une sale petite escroquerie légale. Le coup des cent francs par jour sans quitter travail et de la boîte de couleurs. Vous tentez les petites gens par des annonces et, comme vous leur envoyez quand même quelque chose pour leur argent, on ne peut pas vous poursuivre. Dites donc, monsieur Hire ou Hirovitch, est-ce que vous n'étiez pas venu pour me donner votre parole d'honneur ?

— Je n'ai pas tué. Vous devez comprendre que je n'ai pas tué. Je n'ai pas besoin d'argent et...

— Doucement ! Rien ne prouve que la pauvre femme a été assassinée pour son argent. Et on voit de temps en temps certains messieurs solitaires se livrer soudain...

M. Hire s'était dressé, tout blanc, sans souffle.

— Asseyez-vous. Je ne vous arrête pas encore. Une question : avez-vous souvent de bonnes amies ? Pouvez-vous m'en désigner deux ou trois, voire une seule ?

Il fit non de la tête.

— Comprenez-vous ? Pendant des années, vous avez publié des cochonneries pour vieux maniaques. Vous n'avez pas de femme, pas de maîtresse. Je sais ce que vous allez me dire. Je connais la maison où vous vous rendez de temps en temps. Mais justement les dames de cette maison vous trouvent bizarre, inquiétant. Les locataires de votre immeuble rappellent leurs filles et même leurs gamins quand ils jouent trop près de vous. Si vous vous mettiez à table, monsieur Hire ? Un bon conseil : allez voir un avocat. Racontez-lui votre petite histoire. Il obtiendra un examen mental et...

La bouche ouverte, M. Hire essayait en vain de protester.

— Vous n'avez plus rien à me dire aujourd'hui, n'est-ce pas ? Signez le procès-verbal. Vous pouvez le relire.

Le commissaire sonna, demanda au garçon de bureau :

— Encore du monde pour moi ?

— Non.

Et il sortit le premier, tandis que le jeune inspecteur tendait une plume à M. Hire, avec une indifférence totale.

— Votre chapeau est sur la chaise.

— Merci... Pardon...

Dans son bureau en sous-sol, rue Saint-Maur, il y avait un morceau de miroir et M. Hire se regarda, sous la lampe, avec la peur de découvrir en lui quelque chose d'anormal. Mais non ! Il avait les cheveux très bruns, presque bleus, de sa mère. Ses moustaches étaient finement roulées au fer, ses lèvres bien dessinées et d'un rose ardent. Il était un peu gras, mais cela ne l'empêchait pas de rester souple et d'être le plus fort du club au bowling.

Il pensa à son père, assis le soir sur le seuil de la boutique, rue des Francs-Bourgeois, ses mains fines lissant une longue barbe blanche. Il était maigre et blême comme un prophète, toujours grave et lent, capable de parler tout seul pendant des heures, à voix basse, en dedans, assis sur sa table de tailleur.

Un malhonnête homme, lui ? Du moment

qu'on ne comprenait pas cela, qu'est-ce qu'on comprendrait ?

Et M. Hire qui se sentait flasque, l'âme vide, fit machinalement quarante-deux paquets, avec les étiquettes et des formulaires pour l'expédition.

Quand il rentra, à sept heures dix, la concierge qui était dans le couloir rentra précipitamment dans sa loge sans le saluer. Un petit garçon qui montait l'escalier devant M. Hire s'élança en courant, frappa de ses deux poings à la porte de ses parents.

M. Hire alluma son feu, remonta le réveil et, l'un après l'autre, dans l'ordre, fit tous les gestes quotidiens. Pendant que l'eau chauffait pour le café, il dressa la table, ramassa des miettes de la veille qui étaient restées sur le plancher, chercha même un vieux clou pour retirer deux petites saletés qui s'étaient glissées entre les lattes de bois.

Les bruits étaient les mêmes que les autres jours, avec la pluie en plus, qui dégoulinait dans une gouttière, tout près de la fenêtre. Le bébé d'en haut devait être malade car il y eut une visite du docteur, des chuchotements sur le palier et même dans l'escalier car le père, pour savoir la vérité, se raccrochait au médecin et le suivait jusqu'en bas.

M. Hire fit sa vaisselle et frotta ses deux couteaux à la toile émeri. Dix fois il passa devant sa toilette. Dix fois il se regarda dans le miroir, soupçonneux, se forçant à sourire pour étudier son sourire, puis fixant sévèrement l'espace.

Enfin il s'assit, fatigué comme s'il eût joué au bowling pendant une journée entière. Mais il ne pouvait pas rester assis non plus et il se dirigea vers sa garde-robe, en retira une boîte à chaussures qu'il posa sur la table et dont il renversa le contenu.

C'étaient de vieux papiers, de vieilles photos et, dans un portefeuille fermé par un morceau de caoutchouc rouge, des bons du Trésor.

On frappa à la porte. Une voix de femme dit aussitôt :

— C'est moi !

Elle venait de finir le ménage de ses patrons et elle avait encore les mains rouges et humides.

— On peut vous dire bonsoir ?

Elle avait jeté un manteau sur ses épaules pour traverser la cour et elle le laissa glisser sur une chaise.

— Ils vous ont encore ennuyé, aujourd'hui ?

Elle était familière et simple. En s'approchant de la table, elle vit les photographies et en prit une, leva les yeux sur son compagnon.

— Qu'est-ce que c'est ?

— Ma classe, à l'école communale.

— Mais où êtes-vous ?

Il y avait cinquante élèves sur quatre rangs, encadrés de plantes vertes. Tous étaient endimanchés et certains se tenaient raides, le menton haut, d'autres au contraire regardaient mollement l'appareil comme s'ils eussent été pleins de défiance.

— Ici, dit M. Hire en tendant le doigt.

Elle rit.

— C'est vous, ça ?

Le rire nerveux, Alice ne pouvait s'empêcher de comparer la photographie à M. Hire.

— Quel âge aviez-vous ?

— Onze ans.

Onze ans ! Et ce n'était pas un gamin ! Ce n'était pas un homme non plus ! Sur la photographie, on le distinguait des autres au premier coup d'œil.

Il n'était pas plus grand qu'eux, mais il était si gras qu'il n'avait plus rien d'enfantin. Ses mollets nus étaient énormes, un peu de travers, les genoux noyés de graisse. Il avait un double menton et les yeux, dans ce visage empâté, restaient fixes et tristes.

Il était impossible qu'il jouât avec les gamins dans la cour ou dans le préau, impossible même qu'il eût des rapports quelconques avec eux, car c'était déjà un vieux bonhomme, grave et poussif.

— En somme, vous avez maigri.

C'était vrai. En vieillissant, M. Hire était

124

devenu d'une corpulence normale et, du portrait, il n'avait plus que cette étrange mollesse, ces rondeurs équivoques, ces lèvres trop dessinées dans un visage flou.

— Vous étiez malade ?

— Non. Je tenais cela de ma mère.

Il ne regardait pas la servante. Il ne regardait plus la glace. Deux fois, il tendit la main pour reprendre la photographie.

— Vous en avez d'autres ?

Il en avait, mais il les cacha, les glissa vivement dans une enveloppe, ne laissa sur la table que le portefeuille entouré de son élastique. Il voyait très près de lui la nuque rousse d'Alice quand il prononça soudain :

— J'ai réfléchi. Il n'y a qu'une solution : voulez-vous partir avec moi ?

Alors elle tourna lentement la tête, ahurie, le regarda sans rien dire. Et lui, les doigts nerveux, faisait sauter l'élastique, déployait le portefeuille, alignait sur la table les bons du Trésor.

— Il y en a pour quatre-vingt mille francs. Je continuerai à en gagner...

C'était venu si simplement, d'une façon si inattendue qu'il en était dérouté lui-même, car c'était la minute la plus extraordinaire, le point culminant de sa vie. Or, les choses se passaient sans solennité, sans émotion. Alice s'asseyait au bord de la table et lui mettait ses deux mains sur les épaules.

— Mon pauvre vieux !

— Quoi ?

— Rien ! Je voudrais bien, moi ! Ce n'est pas que ce soit drôle de vivre ici. Mais...

— Mais ?...

— Tout !

Et elle marcha à travers la chambre, changea le réveille-matin de place.

— D'abord, Emile ne nous laisserait pas partir. Il finirait toujours par nous retrouver. Il ne se gênerait pas pour...

— J'y ai pensé. Nous n'aurons rien à craindre de lui.

Elle écarquilla les yeux, resta immobile à attendre la suite. Et M. Hire, qui remettait les bons dans le portefeuille, expliquait d'une voix hésitante :

— Supposons que nous allions d'abord en Suisse, chacun de notre côté. Une fois de l'autre côté de la frontière, nous télégraphions.

— A la police ? s'écria-t-elle en bondissant.

Et lui, tout naturellement :

— Oui. On l'arrête. Après le procès, nous revenons et...

Alice se contenait. Farouche, elle fixait le plancher en s'efforçant de reprendre sa respiration régulière. Elle voyait les deux pantoufles, le bas du pantalon de M. Hire. Deux fois elle avala sa salive et enfin elle put relever la tête, montrer une sorte de sourire.

— Je ne sais pas encore, dit-elle, du bout des lèvres.

— C'est la seule solution. J'ai réfléchi. Il faut réfléchir à votre tour.

Il fit un pas vers elle, lui prit la main dans ses deux mains qu'il avait chaudes et humides.

— Est-ce que vous avez confiance en moi ? Il me semble que je vous rendrais heureuse.

Elle ne pouvait pas parler. Sa main était morte au bout de son bras, ses prunelles écarquillées.

— Nous pourrions vivre à la campagne...

Les mains montaient le long du bras nu, atteignaient la saignée. M. Hire se rapprochait tout entier.

— Pensez-y jusqu'à demain...

Et il appuyait soudain sa joue sur l'épaule de la servante. Elle le voyait dans le miroir, les yeux fermés, un léger sourire sur ses lèvres entrouvertes.

— Ne dites pas non tout de suite !

C'était la partie la plus chaude de sa joue, celle qui était marquée d'un disque rose, qui touchait la chair d'Alice.

8

Pendant qu'elle se déshabillait en quelques mouvements que l'habitude rendait hiératiques et qui la sculptaient peu à peu jusqu'au moment où s'abattait sur elle la chemise de nuit blanche, la servante évitait d'exposer son visage au regard invisible des trois papiers gris. Elle pouvait montrer ses seins, sa croupe. Elle pouvait coller ses cuisses et son ventre à M. Hire et sa chair n'eût pas bronché s'il eût répondu à cette invitation, au lieu de fermer les yeux d'attendrissement.

Elle ne pouvait pas lui laisser voir son visage, qui était tout simplement maussade et préoccupé.

Une fois en chemise, elle éteignit la lumière et, à tout hasard, se coucha un instant tandis que la lumière d'en face s'éteignait à son tour. Elle avait sur le front comme le poids d'une barre, à force de réfléchir. Elle se releva sans bruit, chercha à tâtons ses chaussures où elle mit ses pieds nus, puis son manteau de drap vert, qu'elle passa sur sa chemise de nuit. Elle avait déjà ouvert la porte quand elle revint sur ses pas et prit sur sa toilette une bouteille qui avait contenu de l'eau oxygénée.

Quand la concierge endormie déclencha le mécanisme de la porte, Alice fut accueillie par une bourrasque qui la plaqua de pluie des pieds à la tête. La route était nue et luisante. Le dernier tramway était à l'arrêt, baigné de lumière jaune, de l'autre côté du carrefour. Un des cafés restait ouvert.

Tout près d'elle, sur le seuil même, la servante vit une ombre et retarda le moment de s'élancer sur le trottoir mouillé.

— Vous êtes là ? dit-elle sans émotion.

C'était le plus jeune des inspecteurs qui était blotti, le col du pardessus relevé, dans l'angle du portail.

— Vous en faites, un métier ! Moi, je ne me sens pas bien. J'ai pris froid. Alors, je me suis levée pour aller chercher du rhum.

Elle montrait sa petite fiole.

— Voulez-vous que j'y aille ?

— Et si le type sortait pendant ce temps-là ?

Sa voix était naturelle. Elle longea les murs, tête baissée, les pieds traînant dans les flaques d'eau, et on la vit entrer au bistro du coin dont la porte vitrée déchaîna une sonnerie. Quatre hommes jouaient encore aux cartes et la femme de l'un d'eux attendait.

— Donnez-moi un peu de rhum.

Et, pendant que le patron en remplissait une mesure d'étain :

— Emile n'est pas venu ?

— Il y a au moins une heure qu'il est parti.

— Tout seul ?

— Tout seul, lui répondit-on avec un clin d'œil.

— Je vous paierai demain. Je n'ai pas mon sac. Quand Emile viendra, dites-lui que j'ai besoin de lui parler.

Elle avait le visage gris et tiré de quelqu'un qui a des soucis, mais sa voix était calme, son attitude normale. Elle sortit avec sa bouteille à la main et, sans regarder le carrefour désert que le tramway quittait avec fracas, elle longea à nouveau les murs tandis que ses épaules se détrempaient davantage et que ses cheveux frisaient sur le front, à cause de l'humidité.

L'inspecteur l'attendait, tout droit maintenant. Il avait mis convenablement son chapeau qui tout à l'heure était enfoncé jusqu'aux oreilles et, comme Alice tendait le bras, il l'arrêta.

— Vous êtes si pressée ?

Elle obéit, se tourna vers lui et l'homme, en se penchant pour regarder par l'entrebâillement du manteau, s'exclama :

— Mais vous êtes en chemise !

— Bien sûr.

— Et vous n'avez rien en dessous ?

Il souriait, avançait la main qui toucha le bord de la chemise de toile blanche.

— Vous avez les doigts glacés.

— Et comme ceci ?

Elle s'écrasait, la main, sur le sein gonflé, par-dessus la chemise, et l'inspecteur disait :

— On ne croirait jamais qu'il y en a autant !

Alice attendait, sans lâcher sa bouteille, et elle appuya les épaules à la porte tandis que l'homme se rapprochait, debout dans la pluie, lui cachant la route, lui parlant de si près qu'elle sentait son souffle contre sa joue.

— Quand je pense que vous allez rentrer dans un lit bien chaud pendant que je passerai la nuit ici !

Il tenait toujours dans sa main le sein qui n'avait pas un frémissement et il respirait la nuque de la servante, en reniflant à petits coups, en posant parfois ses lèvres sur la chair à la naissance des cheveux.

— Vous me chatouillez ! Ainsi, vous n'avez pas encore fini votre enquête ?

De grosses gouttes d'eau froide tombaient du chapeau sur la main d'Alice.

— Hélas ! maintenant, cela ne tardera plus. Et je n'aurai plus l'occasion d'apprécier ces jolies choses...

Elle avait un sourire neutre.

— On va l'arrêter ?

— Il ne faut plus grand-chose. Un petit

indice de plus. Il se sent traqué. Dans ces cas-là, ils ne manquent jamais de faire des bêtises.

— Vous me faites mal, dit-elle comme il lui comprimait la poitrine.

— Vous n'aimez pas ça ?

Elle dit « oui » sans conviction. Il souriait à trois centimètres de ses lèvres.

— Avouez que cette histoire de satyre vous excite ! Mais si ! Je l'ai bien vu ! Toutes les femmes sont les mêmes...

Elle avait les jambes glacées, les pieds mouillés dans ses chaussures et la caresse de l'homme, toujours sur le même sein, finissait par produire une sensation de brûlure.

— Vous croyez que vous l'arrêterez demain ?

— Si cela ne tenait qu'à moi, je ne l'arrêterais jamais afin de...

Et, se penchant, il riva sa bouche à la sienne, se redressa tout heureux.

— Mais on pourrait se voir ailleurs...

— On pourrait, dit-elle en profitant de ce répit pour tirer la sonnette.

— Vous allez rêver de moi ?

— Peut-être.

Comme la porte s'ouvrait, il maintint le battant du pied, entra derrière Alice, la prit dans ses bras, dans l'obscurité du couloir. Elle voyait la nuit plus claire par l'ouverture, sentait l'haleine de la nuit pluvieuse et froide, l'odeur de cigarette qu'exhalait la bouche de son compagnon. Sans lâcher ses lèvres, il la triturait des deux mains, depuis les cuisses jusqu'à la nuque, et ses genoux commençaient à trembler.

— Attention !... souffla-t-elle.

Et elle s'enfuit vers la cour tandis que, satisfait, il refermait la porte, se blottissait dans son coin, le col à nouveau relevé, regardant en souriant le carrefour lisse, le café du coin dont on descendait les volets tandis que les derniers clients se séparaient sur le seuil et s'enfonçaient dans les rues.

Assise sur son lit, Alice réchauffait lentement ses pieds dans ses mains.

Le chapeau sur la tête, M. Hire souleva un coin du papier gris et, à travers le tissu de pluie, regarda avec une tiède nostalgie la chambre vide, le lit défait où se dessinait dans un creux l'arabesque d'une épingle à cheveux.

Pourtant, au moment de sortir, la serviette sous le bras, il revint sur ses pas, prit dans l'armoire la boîte de carton et en retira le portefeuille à élastique. Quand il ouvrit enfin la porte, les bons du Trésor étaient dans sa serviette et, par surcroît, il avait déchiré la photographie des élèves de sa classe.

Dans la maison, c'était l'heure des bruits multiples, des enfants qui partaient à l'école, des hommes qui s'habillaient sans trouver ce qu'il leur fallait et du bougnat qui avait besoin de toute la largeur de l'escalier pour monter avec son sac sur la nuque.

M. Hire descendait dignement quand, au deuxième étage, il vit s'ouvrir une porte et se trouva face à face avec l'inspecteur qui sortait d'un logement.

Il ne dit rien. L'inspecteur non plus. Mais l'espace d'une seconde leurs regards s'étaient croisés et M. Hire en était presque malade, comme si son déjeuner eût pesé sur son estomac.

Il descendait toujours. Une main de femme fit rentrer dans la chambre un enfant qui partait et, dans le porche où pénétraient des rigoles d'eau, ils étaient cinq ou six locataires devant la loge, à entourer la concierge.

Tout le monde se tut à son passage. Par habitude, M. Hire toucha le bord de son chapeau melon, bomba la poitrine, sautilla plus que de coutume.

Le vent s'emparait de lui, mouillé et lourd, comme la nuit il s'était emparé d'Alice. Devant la crémerie, on n'avait laissé dehors que des potirons et des boîtes à lait. M. Hire tourna à peine la tête, mais il put voir, près du comptoir, le visage rose d'Alice, son tablier blanc, ses bras nus. Elle le suivait des yeux jusqu'au tramway.

Il regarda ailleurs. Il n'y avait qu'une maison en face de la sienne, une entreprise de déménagement, et quatre hommes étaient à la porte, avec le petit inspecteur barbu, à l'observer de loin.

Il marcha plus vite. Il avait oublié d'ouvrir son parapluie. Juste au carrefour, il se retourna carrément et aperçut tout un groupe sur son propre seuil. Le petit barbu s'était élancé. Ils arrivèrent presque ensemble au tramway et là le policier fut rejoint par un collègue. Ils étaient donc au moins trois à Villejuif. M. Hire devina les mots :

— Qu'est-ce que le patron a dit ?

Il s'arrêta en vain de respirer : il n'entendit pas la suite. Le tramway roulait. Les deux hommes restaient debout sur la plate-forme et, tout en causant, l'un d'eux se tournait de temps en temps vers M. Hire.

Un seul le suivit dans le métro, mais c'était encore plus inquiétant. Rue Saint-Maur, le feu ne voulut pas prendre et M. Hire passa plus d'un quart d'heure à genoux devant le poêle, à souffler pour donner du tirage.

Il n'avait pas besoin de s'approcher du soupirail pour chercher l'inspecteur. Celui-ci avait découvert le petit bistro voisin et y était installé contre la vitre, bavardant avec la servante qui astiquait le zinc et le percolateur.

Néanmoins, il pouvait sortir d'un moment à l'autre. Au point où on en était, il n'hésiterait peut-être pas à s'accroupir pour regarder par l'ouverture grillagée.

M. Hire s'affaira, coltina des centaines de boîtes d'aquarelle qui étaient empilées dans le fond de la cave et en fit une sorte de mur au milieu de la pièce. Il ne se pressait pas. Il travaillait à son rythme habituel, lent, mais ininterrompu.

Quand il put s'asseoir à sa place, sans que du dehors il fût possible de voir ses mains, il alla chercher son pardessus, des ciseaux et une boîte en fer qui se trouvait dans un classeur.

Il mit deux heures à découdre et à recoudre la satinette rayée doublant les manches et qui était plus épaisse que le reste de la doublure. Il travaillait avec un dé, comme un tailleur, en mordillant sa lèvre inférieure. Enfin les bons du Trésor furent en sûreté dans le vêtement et, avec la même lenteur obstinée, M. Hire démolit son rempart de boîtes.

Le feu s'était éteint. Il n'y avait plus de bois. Il endossa son pardessus et sortit pour aller en chercher chez le bougnat. Comme il passait devant le bistro d'à côté, il vit l'inspecteur assis devant un grog, l'air heureux, pérorant pour le patron et la servante. Le policier tressaillit en l'apercevant, se précipita vers la porte, mais sans quitter son abri car déjà M. Hire entrait chez le marchand de charbon.

Lorsque M. Hire revint, avec une douzaine d'allume-feu, le petit bistro n'avait pas changé. Les trois personnages étaient figés comme des statues. Cependant il avait à peine dépassé la vitrine que le patron et la servante couraient jusqu'au seuil, s'avançaient même sur le trottoir pour mieux le voir.

Cela ne l'empêcha pas de faire vingt-trois colis, avec les étiquettes, les feuilles d'expédition, et tout. Maintenant, le feu lui cuisait le dos, la lampe éclairait sa table, le soupirail dessinait à droite un rectangle gris où passaient des pieds et des jambes, parfois les roues grêles d'une voiture d'enfant.

Quand la dernière étiquette fut rédigée, il avait écrit en même temps deux lettres, si prudemment que l'inspecteur n'en eût rien su même en observant tous ses mouvements. La première était pour Victor, le garçon de café préposé au bowling.

Mon cher Victor,

Il n'y a que vous qui puissiez me rendre le service suivant. En recevant ce mot, vous sauterez dans un taxi et vous vous ferez conduire au carrefour de Villejuif. Vous verrez, à droite, une crémerie et vous y achèterez quelque chose. Vous rencontrerez certainement la servante, qui est une jeune fille rousse, et vous vous arrangerez pour lui remettre discrètement la lettre ci-jointe.

Je compte sur vous. Je vous expliquerai la chose plus tard. En attendant, je vous remercie.

Il choisit un billet de cent francs tout neuf et relut la seconde lettre destinée à Alice.

Je vous attends à 5 h 40 du matin, à la gare de Lyon. Prenez toutes les précautions. Inutile d'emporter vos effets. Je vous aime.

Cela ne fit, en tout, qu'une petite enveloppe de papier bulle comme les enveloppes destinées aux clients. M. Hire resta longtemps à la regarder, éreinté comme s'il eût fourni un effort physique de plusieurs heures.

Enfin il s'habilla, prit tous ses petits paquets et se dirigea dans la pluie vers le bureau de poste. L'inspecteur barbu le suivait sans conviction. M. Hire, comme d'habitude, encombra le guichet pendant cinq bonnes minutes et, quand il se retira, son message pour Victor s'acheminait déjà par pneumatique vers sa destination.

Le bureau de poste était à peu près vide et ressemblait à une gare, avec ses affiches défraîchies au mur, son horloge officielle, les traînées d'eau sur les pavés. M. Hire ne s'en allait pas. Il n'avait plus de raison, maintenant, d'être à un endroit plutôt qu'à un autre. Il avait des heures devant lui. Le bureau rue Saint-Maur n'était déjà plus son bureau. Sa chambre à Villejuif n'était plus sa chambre. Son chez-lui, c'était le pardessus noir à col de velours, avec les manches et les épaules rembourrées de papier rêche.

L'inspecteur s'ennuyait en l'attendant et M. Hire le faisait exprès de lire les affiches, l'une après l'autre.

Ce fut une après-midi extraordinaire. La pluie tombait de plus belle. Les gens hésitaient à traverser les rues comme si celles-ci eussent été autant de torrents. Les taxis roulaient lentement, par crainte de déraper. Les journaux, aux kiosques, fondaient peu à peu.

Et alors, tandis que tout Paris courbait le dos sous l'averse, que les visages se renfrognaient, qu'on s'amassait à dix sur un seuil ou qu'on piétinait dans un petit bar en attendant une éclaircie, M. Hire, lui, était transfiguré par l'allégresse.

Tenant son parapluie bien droit, il allait et venait au gré de sa fantaisie, sans crainte de se crotter, ni d'arriver en retard. Il s'arrêtait devant les vitrines. Dans une confiserie, il acheta des chocolats et mit le sac dans sa poche où, de temps en temps, il prenait un bonbon qu'il suçait lentement.

C'était comme si on lui eût ouvert les portes de l'espace et du temps. Il n'avait rien à faire. Il ne devait être nulle part.

Et, le plus merveilleux, c'est que ces vacances étaient limitées. A cinq heures du matin, à cinq heures quarante exactement, ce serait fini. Il prendrait place dans un compartiment de chemin de fer, en face d'une femme. Il se pencherait pour lui parler. Il dirait à l'employé du wagon-restaurant proposant ses tickets :

— Deux !

Deux ! Il sautillait. Il accrochait d'autres parapluies avec son parapluie. Il déambulait dans des rues où il n'avait jamais eu l'idée de mettre les pieds alors qu'il avait toute une vie devant lui et tous les jours, toutes les heures d'une vie.

Maintenant, il n'avait plus que onze heures, que dix ! Les lumières de Paris s'allumaient et sur les Grands Boulevards il s'arrêta devant une bijouterie. Il y avait des milliers de bagues violemment éclairées, mais M. Hirc se souvint de la rue des Francs-Bourgeois où les bijoux sont moins chers parce qu'ils viennent pour la plupart du Mont-de-Piété.

Il ne prenait pas d'autobus, de tramway. C'était meilleur de marcher dans l'éblouissement de tous les étalages, puis dans les rues plus sombres où seuls luisaient les pavés du trottoir.

Il n'y avait plus de tailleur à la place où il était né, mais un marchand de phonographes. N'empêche que les fenêtres du premier étage — si bas de plafond qu'on pouvait à peine y tenir debout — étaient restées exactement les mêmes, avec les mêmes rideaux, eût-on dit. Et pourquoi pas ? Qui les eût enlevés ?

L'inspecteur, derrière lui, marchait mollement dans un cauchemar et M. Hire entrait chez un bijoutier, passait un quart d'heure à regarder, à toucher des bagues. Il en acheta une avec une turquoise, qu'on lui laissa bon marché parce que la pierre était un peu rayée. De l'intérieur lumineux du magasin, il voyait le pauvre nez, la pauvre barbe de l'inspecteur s'épater sur la vitre.

Le marchand, un homme maigre et vif, le regardait avec attention, mais il attendit que M. Hire eût payé pour demander :

— N'êtes-vous pas le fils Hirovitch ?

— Oui ! dit-il avec élan.

Le bijoutier, refermant son tiroir-caisse, fit simplement :

— Ah !

Et M. Hire continua à entendre ce « Ah », en marchant dans les rues. Ce « Ah » le gênait, lui restait sur le cœur. Pourquoi avait-on dit « Ah » ?

En se retournant, il vit une fois encore l'inspecteur à bout de souffle et cela ne l'amusa plus. Au contraire ! Il fut pris de haine à son égard et il longea très exactement le bord du trottoir, guettant le bruit des autobus qui arrivaient derrière lui.

Le coup réussit, place de la République. Les voitures étaient emboîtées les unes dans les autres à ne pas s'y retrouver. L'agent sifflait. Les taxis klaxonnaient. A l'instant où, comme par miracle, ce magma se désagrégeait, M. Hire sauta sur la plate-forme d'un autobus tandis que l'inspecteur, coincé par les taxis, était dans l'impossibilité de courir.

M. Hire descendit à la porte Saint-Martin, prit un autre autobus qui le déposa à la gare du Nord et de là redescendit à pied vers l'Opéra par la rue La Fayette.

La vie coulait, noire et fluide, dans les rues éclairées. On suivait le mouvement, malgré soi.

Encore neuf heures !

Mais pourquoi le juif de la rue des Francs-Bourgeois avait-il dit : « Ah » ?

Ce fut soudain que M. Hire sentit sa fatigue et il entra dans un cinéma, piloté dans l'obscurité par la petite lumière de l'ouvreuse.

Il y avait quelqu'un à sa gauche, quelqu'un à sa droite, et partout des rangs de visages que le halo de l'écran sortait à moitié de l'ombre. Il faisait chaud. Une voix de femme disait de longues phrases, amplifiée, surhumaine, et parfois, entre les mots, on entendait son souffle comme si elle eût frôlé les milliers de spectateurs de son haleine, tandis que là-bas une tête gigantesque remuait les lèvres.

M. Hire soupira, se cala au fond de son fauteuil, étira ses courtes jambes.

Est-ce que ce n'était pas inouï, miraculeux qu'il fût là, lui que la police recherchait, lui que les gens de Villejuif accusaient d'être l'assassin d'une fille ?

Et il n'était là qu'en attendant ! Dans huit heures à peine, il arpenterait le quai de la gare de Lyon, devant un wagon où il aurait marqué ses places. Deux places ! Alice accourrait au dernier moment, car les femmes arrivent toujours en retard. Il lui ferait signe de se presser. Il la hisserait sur le marchepied.

Alors, ils se regarderaient tandis que le train, sous leurs pieds, commencerait à glisser, frôlant les dernières rues de Paris, les hautes maisons de banlieue, les pavillons parmi les arbres, la campagne.

Il tressaillit sans savoir pourquoi, regarda à sa gauche et vit un visage étonné tourné vers lui. A droite, une vieille femme le regardait de même, en reculant un peu.

C'était peut-être parce qu'il haletait ? Mais maintenant il se calmait. Il regardait l'écran. Il faisait même un effort pour comprendre le film.

Malgré tout, il eut encore un soupir, un gros soupir gavé et impatient tout ensemble, car il y a des moments où cela fait mal d'attendre de la sorte au point que, les doigts crispés comme par une crampe, les genoux trépidants, on a à la fois envie de rire et de gémir.

Le même jour, vers dix heures du matin, la concierge vit avec étonnement une voisine à qui elle ne parlait même pas qui lui ramenait sa fille de l'école maternelle. L'enfant avait le cou raidi et comme allongé par le pansement que sa mère lui avait mis le matin, parce qu'elle avait mal à la gorge. Ses yeux étaient brillants, son visage souffreteux.

— On m'a demandé de vous la ramener et de vous remettre ceci.

C'était un billet de l'institutrice.

Votre enfant a des taches blanches dans la gorge et il importe de la coucher sans retard. Je vous conseille vivement d'appeler le médecin.

La concierge souleva sa fille pour la faire passer par-dessus le seau et le torchon qui étaient sur le seuil et elle se demanda où la mettre, l'assit enfin sur une chaise qu'elle poussa près du poêle.

— Reste là !

Il n'avait jamais tant plu. Cela fatiguait les yeux de voir l'eau tomber, crépiter, ruisseler sur le sol et se faufiler partout, tout salir, tout détremper. Dans la cour, l'écoulement ne se faisait plus et une mare grandissait de minute en minute. La concierge achevait de laver son seuil pour pouvoir fermer sa porte et elle entendait derrière elle les pas de deux hommes.

C'était un commissaire qui était arrivé en taxi et qui, depuis un quart d'heure, conférait avec l'inspecteur. Elle leur avait offert l'abri de sa loge, mais ils avaient refusé. Ils arpentaient le porche, de la rue à la cour, le col du pardessus relevé, les mains dans les poches, et il y avait de longs silences entre leurs phrases. Enfin le commissaire traversa le trottoir et regagna son taxi. Quelques instants plus tard, l'inspecteur entrait dans la loge pour se chauffer les mains au-dessus du poêle.

— Il reviendra tout à l'heure avec le juge et un mandat de perquisition.

Et la concierge, qui s'était agenouillée devant son seuil mouillé, leva la tête tout en maniant son torchon.

— Veux-tu rester là, toi ! cria-t-elle d'une voix aiguë à sa fille qui se glissait en bas de sa chaise.

L'agent de service au carrefour avait revêtu son ciré et son capuchon pointu. Autour de lui les camions évoluaient, bâches luisantes, les piétons hésitaient à traverser la chaussée. Certaines vendeuses, aux petites charrettes, avaient un sac vide sur la tête, un autre sac sur les épaules.

La crémerie était en contrebas d'une marche et depuis le matin on perdait le temps à éponger l'eau qui dévalait du trottoir. La crémière était en sabots, Alice aussi. Elles étaient aussi exaspérées l'une que l'autre. Des clientes s'arrêtaient sur le seuil, voyaient l'eau et faisaient demi-tour.

— Attendez ! criait la marchande. On va essuyer. Alice ! Alice !...

Et plus le temps passait, plus ce glapissement s'envenimait.

— Tu n'as jamais été aussi empotée qu'aujourd'hui. Ah ! tu choisis ton jour...

La crémière était toute petite, toute ronde, fraîche et acide comme une pomme. Elle se tenait près du seuil.

— N'ayez pas peur ! Je vais vous servir ici.

Alice était vraiment empotée, distraite en tout cas, avec un drôle de regard morne et absent qu'elle n'avait pas d'habitude. A chaque instant, on la surprenait à contempler la grisaille de la vitrine derrière laquelle les passants semblaient inconsistants, comme reflétés par un mauvais miroir.

— Alice !

Elle sursautait, traînait ses sabots sur le sol, pesait du beurre ou du fromage.

— Vingt-neuf sous.

A dix heures et demie, l'inspecteur, qui s'était réchauffé dans la loge et qui avait boutonné sa gabardine jusqu'au cou, fit à nouveau les cent pas sur le trottoir et chaque fois qu'il approchait de la boutique il lançait à Alice un long regard. La pluie ruisselait sur son visage, mais cela semblait l'amuser, lui fouetter le sang.

A onze heures moins dix, la servante sortit soudain par la porte du fond qui ouvrait sur la cour.

— Alice ! Où vas-tu encore ?

— Au petit endroit, cria-t-elle.

Et quand elle revint, dix minutes plus tard, elle avait la respiration saccadée.

— Tu aurais pu choisir un autre moment. Allons ! Sers Mme Rorive.

Un cycliste fut renversé par un camion, à quelques mètres de l'agent. On le transporta au café du coin tandis que le vélo tordu restait au milieu de la chaussée. Entre deux pesées, Alice regardait. Mais bientôt le cycliste sortit en boitillant, l'air abruti, de la boue plein ses vêtements. Avec une démarche d'ivrogne, il s'approcha de son

148

vélo qu'il mit debout et disparut en le poussant devant lui.

Emile était sur le seuil du café.

— Je vais chercher la viande ? questionna Alice.

— Tu es folle ? Quand il y a six personnes à servir ?

Et le temps passait, la pluie tombait, les autos suivaient les autos sur la route. Emile était rentré dans le bistro et de temps en temps il effaçait de la main la buée qui couvrait la vitre pour s'assurer qu'Alice ne sortait pas.

— Maintenant ? Je prends trois côtelettes ?

Elle se contenta de jeter son manteau vert sur ses épaules, sortit en courant et se heurta à l'inspecteur qui l'attendait au coin de la rue.

— Pas ici ! dit-elle.

Il tourna l'angle avec elle.

— Je vous verrai ce soir ? C'est peut-être mon dernier jour ici.

— Oui ! souffla-t-elle avec impatience en regardant le café du coin.

— Quand ?

— Je ne sais pas. Je vous le dirai tout à l'heure.

Et elle s'élança le long du trottoir de la rue étroite et commerçante, entra chez le boucher, attendit ses côtelettes, tournée vers la rue. Quand elle sortit, Emile était là, mais elle apercevait l'inspecteur au coin de la grand-route.

— Attention !

Elle s'arrêta à la vitrine du papetier et, sans regarder son compagnon, dit très vite :

— J'ai tout mis chez lui ! Il voulait partir avec moi et te dénoncer.

Elle s'éloignait déjà parce qu'il lui semblait que l'inspecteur l'observait. Elle lui sourit en passant devant lui et rentra dans la crémerie, jeta son manteau au crochet, remit la monnaie de reste dans le tiroir.

— Combien ? questionna sa patronne.

— Sept francs vingt-cinq.

La gamine était enfin couchée dans un coin de la loge et maintenant qu'elle était au lit son visage était cramoisi, ses yeux fiévreux, sa respiration sifflante.

Après déjeuner, son frère n'était pas retourné à l'école.

— Toi, essaie d'amuser ta sœur !

La concierge était exaspérée. Rien ne marchait. On traversait la cour sur des planches posées sur des caisses et le plombier n'arrivait pas. Comme par un fait exprès, les encaisseurs succédaient aux employés du gaz ou de l'électricité.

Et voilà qu'à trois heures déjà une auto s'arrêtait devant la maison. Le commissaire du matin en descendait en compagnie d'un monsieur maigre qui portait un faux col haut de sept centimètres. L'inspecteur se précipitait vers eux. Et ils causaient dans le porche. Ils avaient une discussion à n'en plus finir. Le commissaire ouvrait enfin la porte vitrée de la loge.

— Vous avez une clef ?

— Non. M. Hire l'emporte toujours avec lui.

Le commissaire referma la porte et l'instant d'après l'inspecteur relevait le col de sa gabardine et s'élançait dans la rue.

Les deux hommes qui restaient ne savaient que faire, ni où se mettre. Ils faisaient quelques pas, s'arrêtaient, repartaient, prononçaient de temps en temps une phrase, regardaient curieusement la loge, puis la cour inondée, le bâtiment de derrière. Ce fut le maigre à haut col qui ouvrit une seconde fois la porte.

— Pardon, madame, vous êtes sûre, n'est-ce pas, que la nuit du crime vous avez donné deux fois le cordon à M. Hire ? Réfléchissez. C'est très important.

Elle était justement occupée à mettre une compresse humide au cou de sa fille.

— Je crois que je suis sûre.

— Il ne s'agit pas de croire.

— Eh bien ! je suis sûre qu'on a crié deux fois le nom de M. Hire.

Il avait l'air souffrant. Le commissaire était de mauvaise humeur. C'était peut-être un effet du temps, car tout le monde, ce jour-là, était exaspéré. On entendit du bruit vers la porte. C'était l'inspecteur qui revenait avec un serrurier, et les quatre hommes s'engagèrent dans l'escalier.

— Mais laisse-moi tranquille, toi ! cria la concierge en giflant son fils qui ouvrait la bouche pour parler.

Elle entendait quelque chose d'anormal. Elle sortit de sa loge et vit quatre ou cinq personnes qui regardaient la porte comme si elles attendaient quelque chose.

— Qu'est-ce qu'il vous faut ?

Mais elle ne pouvait pas fermer. La crémière arrivait, familière.

— C'est vrai que c'est le juge d'instruction et qu'on va l'arrêter ?

— Je ne sais pas ! glapit la concierge qui avait envie de pleurer. Si vous croyez qu'ils me mettent au courant ! Jojo, empêche ta sœur de sortir du lit.

Ils restaient longtemps, là-haut, et deux vieilles femmes qui habitaient le troisième étaient descendues, anxieuses, pour savoir. C'était interminable et impressionnant comme quand un médecin s'enferme avec un malade et qu'on l'entend aller et venir sans deviner ce qu'il fait.

Alice ne se montra pas. Elle gardait la crémerie. Le chauffeur, de son siège, regardait les gens avec mépris.

Enfin l'inspecteur descendit, mais ce

n'était plus le bon garçon qui aidait la concierge à faire le café. Il était affairé, ne regardait personne.

— Où y a-t-il un téléphone ?

— Au bar du coin. C'est le plus près.

Et il s'élança, important, laissant derrière lui un sillage de mystère. Il passa près d'Emile pour entrer dans la cabine et commanda sans s'arrêter :

— Un rhum ! En vitesse.

On n'entendit pas ce qu'il disait. Le commissaire et le juge étaient toujours là-haut et le serrurier sortait avec sa boîte à outils sur le dos.

On venait d'allumer les becs de gaz. Les autos avaient leurs phares, mais il traînait encore un peu de jour. La concierge ne laissait entrer chez elle que les locataires : trois femmes qui étaient debout autour du poêle, dans la pénombre.

Il ne se passait rien. Il pleuvait toujours. Les lumières dessinaient de longs zigzags qui vivaient comme des bêtes sur le sol mouillé. C'est le moment que le plombier choisit pour arriver et il fallut le conduire dans la cour, lui montrer la place de l'égout, lui apporter une chaise, puis encore des tenailles et une lampe. Il ne pouvait rien faire tout seul. La concierge était à peine dans sa loge qu'il la rappelait.

A cinq heures, une autre auto s'arrêtait

devant la porte et quatre hommes en descendaient, se dirigeaient vers la loge.

Le commissaire qui émergeait de l'escalier les entraîna dehors tous les quatre, sans rien dire.

C'était l'heure où les locataires commençaient à rentrer et, comme les femmes étaient dans le couloir ou dans la loge, ils s'y arrêtaient aussi, puis allaient jeter un coup d'œil sur la route.

Le commissaire postait ses hommes, deux à l'arrêt du tramway, puisque c'était par là que M. Hire arrivait d'habitude, un un peu plus haut que la maison et un au coin de la rue. Il fit reculer les voitures d'une centaine de mètres afin de ne pas attirer l'attention.

— Je vous prie, dit-il en rentrant dans le porche, de ne pas vous attrouper et de laisser à la maison son aspect habituel.

Il ne regardait personne. Il montait, à pas lents et lourds. Au bar du coin, Emile buvait des petits rhums, s'approchait de temps en temps de la vitre qu'il essuyait de la main et y collait son front.

Tout le monde attendait la même chose. Malgré la pluie, il y avait un groupe d'une dizaine de curieux sur le trottoir. Les gens allaient regarder de près les inspecteurs en civil que le commissaire avait postés et qui leur tournaient rageusement le dos. Même l'agent de la circulation qui s'approcha d'eux, toucha son capuchon, fit un clin d'œil.

— On le tient ? C'est le petit gros à mous-taches frisées ? Vous savez, il ne rentre jamais avant sept heures.

Les tramways, presque vides tout à l'heure, arrivaient maintenant bondés et les deux inspecteurs, se partageant la besogne, dévisageaient les voyageurs. A sept heures, le commissaire descendit et fit lui-même le tour du carrefour, dispersa un groupe qui se reforma dix mètres plus loin.

Cinq, six tramways s'arrêtèrent. Les gens qui en descendaient fonçaient en courant dans la pluie. Il était sept heures et quart, sept heures vingt, sept heures vingt-cinq.

Humble et malheureux, le petit barbu arri-vait à la Police judiciaire et demandait au garçon de bureau :

— Le patron est ici ?

— Il est allé à Villejuif pour une arresta-tion.

A huit heures, les tramways étaient presque vides mais on en vit descendre l'ins-pecteur qui regarda ses camarades avec effroi.

— Le commissaire ?

— Il vient de remonter.

Il ne marchait pas, il courait, s'époumo-nait et ses lèvres remuaient comme s'il eût voulu parler. Il passa devant la grappe humaine accrochée à la porte de la loge, buta sur la première marche, se ramassa et courut de plus belle. Des portes s'entrouvrirent. Tout petit qu'il fût, il faisait un vacarme. Enfin, il frappa à la porte de la chambre. Le commissaire ouvrit lui-même.

Ils étaient là bien paisibles dans le logement sans feu et ils avaient gardé leur pardessus. Le juge était assis dans le seul fauteuil, les pieds près du poêle mort. L'autre inspecteur, appuyé à l'angle de la table, se nettoyait les ongles.

— Eh bien ?

— Je l'ai perdu. Il a passé une drôle de journée. D'abord, il s'est rendu à son bureau, mais, après être allé à la poste comme il le fait chaque jour, il...

Dans la crémerie, Alice était penchée pour ramasser l'eau avec un torchon. Elle avait la tête vers la porte ouverte et son corsage qui s'entrebâillait laissait voir un creux d'ombre entre ses seins.

Elle se redressa soudain. Quelqu'un la regardait. Un homme était tout près d'elle, en pardessus noir sous lequel on apercevait un plastron blanc et un petit nœud noir.

— Donnez-moi...

Il désigna un fromage tandis qu'elle s'essuyait les mains à son tablier.

— Combien ?

Pour payer, il tendit la main, mit dans celle d'Alice de la monnaie en même temps qu'une enveloppe et sortit vivement. Dehors, il flâna un peu, regarda la maison voisine, essaya d'entendre ce qui se disait dans les groupes mais, comme un tramway allait partir, il se précipita et le rejoignit de justesse.

Le commissaire et le juge traversaient le trottoir tandis que leur voiture s'approchait. Le juge y monta seul et le commissaire, affairé, se précipita vers le bistro, s'enferma dans la cabine téléphonique. Une locataire de la maison y était justement occupée à appeler le docteur car la gamine respirait avec un bruit qui faisait mal à entendre.

— Tu peux fermer ! cria la crémière, de la porte.

Alice fit descendre le volet, alla chercher les barres de fer dans l'arrière-boutique.

Des gens se décidaient à rentrer chez eux pour dîner, mais redescendaient aussitôt. La route était presque déserte, si luisante que les rares autos s'y reflétaient. On percevait la sonnerie d'un cinéma situé à plus de trois cents mètres et quelques personnes qui ne savaient rien passaient sans s'arrêter.

Au moment de rentrer dans la maison, Alice rencontra l'inspecteur qui lui dit très vite, tout bas :

— J'essayerai de monter chez vous tout à l'heure. Ne fermez pas la porte.

Et il lui sourit gentiment.

M. Hire n'avait pas sommeil. Il n'aurait d'ailleurs pas eu la patience d'entrer dans une chambre, de se déshabiller et de se mettre au lit. Il sortait du cinéma avec la foule chaude qui l'enveloppait et il la suivait, il marchait dans la lumière et dans le bruit, s'arrêtait avec les autres au bord d'un trottoir, partait à pas pressés quand tout le monde repartait.

Mais, petit à petit, le flot perdait de sa force et il y avait des trous entre les gens qui disparaissaient dans l'ombre d'autres rues ou dans les bouches de métro. Il y avait des trous aussi dans la rangée d'étalages lumineux. M. Hire marchait plus vite, pressé d'être au matin, d'être à la gare, si pressé qu'il courait à moitié en agitant ses petits bras.

Il n'avait pas faim, pas soif. Ce qu'il voulait, c'était ne pas laisser s'éteindre cette trépidation qui était née en lui, cette chaleur, cette bouffée qui le portait, et il entra dans un porche plein de musique assourdie, poussa la porte matelassée d'un dancing.

Ses narines se pincèrent de joie, de volupté, de triomphe. La lumière était éclatante. Il y avait du rouge partout, sur les murs, au plafond, dans les loges, et des corps nus peints en couleurs brillantes.

Il y avait du bruit ; pas du bruit, mais une rumeur large comme le vacarme des vagues, soutenue par le glapissement joyeux des cuivres.

Il s'assit en souriant, aussi éperdu qu'une danseuse qui a trop valsé. Il avait besoin de reprendre son souffle. Il regardait vaguement autour de lui et il voyait des femmes, surtout des jeunes, des vendeuses, des ouvrières, des dactylos, qui trépidaient comme lui, parlaient avec fièvre, se levaient, s'asseyaient, dansaient, couraient.

— Un... un kummel ! dit-il au garçon.

Il était attendri, amolli par une bouffée de bonté sans bornes tandis qu'il regardait sans s'en rendre compte une femmelette toute mignonne assise avec une amie à quelques mètres de lui. Elle était maigre. Elle avait un visage pointu, des lèvres minces, des yeux verts, des cheveux filasse. Elle portait un tricot à lignes bleues et rouges sous lequel on voyait pointer deux petits seins très écartés, plus longs que larges, comme des poires pas mûres.

Elle possédait un flair spécial pour deviner de loin, voire à travers toute la salle, ceux qui voulaient danser avec elle et elle se levait aussitôt, allait à leur rencontre, levait les deux bras en même temps tandis que ses jambes pareilles à des allumettes prenaient le rythme. En passant devant son amie, elle ne manquait jamais de lui tirer la langue pardessus l'épaule du danseur.

C'était pour lui-même que M. Hire souriait d'un sourire qui n'était pas seulement sur ses lèvres mais qui épanouissait son visage. Il souriait en la regardant et, une fois qu'elle se rasseyait, elle le fixa en fronçant les sourcils, donna un coup de coude à sa compagne.

Elles ne rirent pas. Il avait beau détourner la tête, il sentait sur lui leur regard sévère, soupçonneux. Il n'avait rien fait. Il n'avait rien dit. Il n'avait fait que participer à la joie ambiante.

Et voilà qu'en dansant la gamine montrait M. Hire à son cavalier qui l'examinait avec mépris !

Il ne savait plus où regarder. Il n'avait pas touché à son kummel. Il fit un signe au garçon, qui s'approcha sans mot dire.

— Combien ?

Il bombait la poitrine. Il prenait un air important pour tirer son portefeuille de sa poche. En attendant sa monnaie, il redressa ses moustaches et, déjà debout, il vida son verre d'un trait, non sans un haut-le-cœur.

Le trottoir était désert. Un peu plus loin commençaient les lumières de Montmartre. M. Hire se secoua, non pour faire tomber la pluie qui détrempait ses épaules mais pour dissiper ce drôle de malaise qui lui mettait comme un mauvais goût dans la bouche. Il revoyait nettement la gamine au chandail. Que lui avait-il fait ? Et pourquoi, puisqu'elle riait avec tout le monde, ne riait-elle pas avec lui ?

Un portier galonné, son parapluie rouge à la main, arrêta M. Hire, le canalisa vers l'entrée d'un cabaret :

— Par ici ! L'endroit le plus gai de Montmartre. Le champagne n'est pas obligatoire.

M. Hire n'osait pas entrer, n'osait pas non plus se révolter, et déjà on lui retirait son pardessus quand il pensa aux bons du Trésor, le reprit vivement des mains du portier et prononça, catégorique :

— Je le garde.

— Il fait très chaud. Enfin, si monsieur aime mieux...

Il n'était qu'une heure du matin. Le commissaire dormait, tout habillé, sur le lit de M. Hire tandis que l'inspecteur, debout à la fenêtre, faisait à Alice des signes qui voulaient dire :

— Tout à l'heure !

Elle ne comprenait pas. Debout au milieu de sa chambre, elle levait les épaules pour exprimer son ignorance puis, lasse de toutes ces singeries, elle passa sa robe par-dessus sa tête, retira sa combinaison, ses bas mouillés, frictionna ses pieds nus avec la serviette pour les réchauffer.

10

La pluie cessa à quatre heures du matin et un violent vent d'ouest balaya les rues vides. Le commissaire, assis sur le lit de M. Hire, se frottait les yeux, se levait à regret.

— A toi ! dit-il à l'inspecteur. Quelle heure est-il ?

Il faisait jouer tous ses muscles pour se réveiller. Son veston avait des faux plis dans le dos. Pendant que son compagnon s'installait à son tour, il ouvrit machinalement la boîte de carton qu'on avait trouvée au fond de la garde-robe et qui contenait le sac à main de la femme assassinée, un sac ordinaire, décoré d'une tête de cerf, à la doublure de soie usée et imprégnée de poudre.

— Vous m'éveillerez ?

Le commissaire regardait le sac avec de gros yeux pleins de sommeil, tripotait l'intérieur, les billets de banque, la houppette, le bâton de rouge et un paquet de cigarettes à peine entamé.

— Ou bien le bougre est rudement fort,

ou c'est un imbécile ! grommela-t-il en remettant le sac à sa place.

Et il bourra une pipe, regarda le ciel où des nuages gris et blancs couraient sur un champ lunaire.

M. Hire, attablé devant une bouteille de champagne, répétait avec obstination :

— Non, je vous assure. N'insistez pas !

Sa voisine ne renonçait pas encore et fumait, appuyée à l'épaule de l'homme, un sein contre lui.

— Tu n'es pourtant pas bâti autrement qu'un autre !

— Je suis fiancé !

C'était la première fois qu'il prononçait le mot. Il en était si ému qu'il ne comprenait pas l'obstination de sa compagne.

— Qu'est-ce que cela peut faire ?

— Non !

Elle se leva enfin, lasse et méprisante.

— Si tu crois qu'elle ne te fait pas cocu, ta fiancée !

Mais il ne broncha pas. Le cabaret était presque vide. M. Hire était blotti dans un coin et les musiciens le regardaient d'un air morne en se demandant quand il se déciderait à partir.

— Garçon !

Il y eut un moment d'espoir.

— Donnez-moi de quoi écrire.

— Je ne sais pas si on peut... grommela l'autre en s'éloignant.

164

Il discuta avec le gérant, en regardant de loin M. Hire. Les deux femmes, qui avaient attendu jusque-là, se rhabillaient, serraient la main des musiciens et s'en allaient. Enfin le garçon apporta une petite bouteille d'encre violette, un porte-plume à un sou et une feuille de papier quadrillé avec une enveloppe.

— On ferme dans cinq minutes, annonça-t-il.

Le saxophoniste interrogea le gérant du regard et celui-ci lui adressa un signe négatif. Pas la peine de jouer ! Les musiciens pouvaient ranger leurs instruments et partir.

La plume crachait, accrochait le papier poreux.

Monsieur le procureur de la République,

J'ai l'honneur de vous faire savoir que l'auteur de l'assassinat de Villejuif est un jeune homme de cette localité qui doit exercer la profession de mécanicien et qui se prénomme Emile. J'ignore son nom de famille et son adresse, mais je sais qu'il se rend chaque dimanche au stade de Colombes. Il est de taille moyenne et porte d'habitude un chapeau de feutre d'un brun rosé.

Recevez, Monsieur le procureur, l'assurance de mes sentiments de très haute considération.

Il ne signa pas, traça l'adresse, demanda

un timbre. Quand la lettre arriverait à destination, il serait loin, en compagnie d'Alice.

— Cent cinquante francs ! articula le garçon à bout de patience.

Il y avait déjà, par-ci, par-là, des pavés qui
séchaient et on entendait, au-dessus des
rues, la chanson du vent dans les tuiles. Une
charrette, de temps en temps, déclenchait un
vacarme persistant et on suivait les pas d'un
passant à travers tout un quartier.

Ils étaient dix à peu près, collés contre la
porte de la gare de Lyon. Certains, qui avaient
posé leurs bagages par terre, étaient assis dessus et sommeillaient. Derrière eux, dans la
gare vide et close, un train sifflait parfois.

Il faisait très froid. Un petit bar s'éclaira
dans la rue. Un homme circula dans les salles
avec une lanterne, ouvrant des portes, en refermant d'autres, remuant des objets sonores.

M. Hire était fatigué à en avoir le vertige,
mais ce n'était qu'un moment à passer, le plus
mauvais, la transition entre la nuit et le jour.
Il fermait les yeux une minute ou deux et
c'était une volupté tant ses paupières étaient
brûlantes. Il souriait vaguement à ses pensées.

Les pas, à l'intérieur, se rapprochèrent de
la porte. Une clef grinça. On retira des barres
de fer et les dormeurs se levèrent, tout fri-
pés, s'enfoncèrent dans le hall béant comme

une cloche. Il n'y avait qu'un guichet d'éclairé. M. Hire le vit le premier, dut attendre que l'employé eût changé de veston et rempli d'encre son stylo.

— Deux secondes classes Genève.

— Aller et retour ?

— Aller simple.

Il était frémissant, tout à coup. Ses doigts fouillaient en tremblant les poches de son portefeuille.

— C'est à cinq heures quarante-quatre, n'est-ce pas ?

— Quarante-trois.

Et l'employé le regardait lourdement, regardait les moustaches, les mains, le portefeuille. Il se pencha même quand M. Hire s'éloigna en sautillant et pénétra à la buvette. La gare se peuplait. Un garçon rangeait des croissants dans de petites corbeilles et un autre traçait sur le plancher des demi-cercles à la sciure de bois.

A cinq heures dix, deux hommes étaient assis dans un coin du buffet et l'un d'eux murmurait en relisant une fiche qu'il avait à la main :

— C'est lui.

M. Hire regardait l'horloge, puis la porte, puis encore l'horloge, puis sa montre.

— Combien ?

Il parlait d'une voix sèche et catégorique.

— Je suppose que le train de Genève est en gare ?

— Troisième voie.

Mais, avant tout, il alla regarder la rue. Ce n'était pas encore le jour. Il ne s'annonçait même pas et pourtant le ciel était plus pâle, peut-être à cause de la lune, et les premiers tramways, les taxis qui convergeaient vers la gare, les bars déjà éclairés faisaient que ce n'était déjà plus la nuit.

Dans les autres gares aussi, des hommes qui avaient en poche le signalement de M. Hire dévisageaient les voyageurs.

Le train était long. Une partie dépassait le hall vitré, tout au bout des voies, où il faisait plus frais. M. Hire avait choisi son wagon, ses deux places. Et maintenant il était debout sur le quai, anéanti par la solennité du moment.

L'aiguille de la grande horloge avançait par saccades, minute par minute, avec chaque fois un bruit de mécanisme qui se déclenche. Le quai se peuplait. Les employés du train circulaient, et aussi le marchand de journaux, la petite voiture avec le chocolat et la limonade.

A cinq heures quarante, quand le convoi eut un sursaut comme pour essayer ses forces avant le départ, M. Hire sentit ses genoux trembler et se souleva sur la pointe des pieds pour voir par-dessus les têtes. Soudain il se précipita, haletant, parlant tout seul, de joie, car il avait aperçu un chapeau vert. Mais, quand il fut à dix mètres, il s'aperçut que c'était une petite dame boulotte, avec un enfant sur le bras, qu'on aidait à se hisser en troisième classe.

Les deux inspecteurs se tenaient prêts à l'empêcher de partir. Comme M. Hire, ils se démanchaient le cou pour voir le bout du quai, curieux de savoir qui allait apparaître.

Il n'apparut personne. Le train siffla. Un employé courut en fermant les portières. M. Hire espérait encore. Il était tendu à en avoir mal partout. N'est-ce pas ainsi qu'il avait imaginé le départ ? Toujours il avait pensé qu'Alice accourrait à la dernière seconde et qu'il faudrait l'aider à sauter sur le marchepied tandis que le train s'ébranlerait. Il trépignait. Il grimaçait et souriait tout ensemble, avec une larme d'impatience dans ses yeux.

Et voilà qu'il avait l'impression que le quai bougeait. Ce n'était pas le quai. C'était le train qui démarrait, prenait peu à peu de la vitesse. Des portières défilaient, avec des visages, des mouchoirs agités.

Les mains dans les poches, il marcha en dandinant les épaules comme pour faire passer son désespoir.

— Billet !

M. Hire tendit le sien et on le rappela.

— Ce n'est pas un billet de quai. C'est...

— Ça va !

Et l'employé suivit curieusement des yeux le dos du pardessus noir, le col de velours, les petites jambes frémissantes qui s'éloignaient.

M. Hire aurait bien voulu pleurer. Il restait debout au-dessus des marches de l'entrée d'honneur, à regarder la place dont les pierres blanchissaient insensiblement.

Il ne savait pas ce qu'il avait. C'était complexe. Il avait froid, un drôle de froid subtil qui pénétrait sa chair comme des aiguilles alors que sa peau était moite. Il avait peur. Il pensait à la lettre qu'il avait jetée dans la boîte, à Emile, aux policiers qui allaient à nouveau marcher derrière lui, au commissaire qui lui lançait des phrases méchantes comme des coups. Il avait faim. Faim ou soif, il ne savait pas. Et chaud aussi. Il ne se sentait pas bien sur ses jambes mais il n'avait pas non plus le courage de s'asseoir dans la buvette.

Peut-être qu'Alice était en retard ? Peut-être qu'Emile l'avait empêchée de s'en aller ? Peut-être allait-elle arriver d'une seconde à l'autre ?

Il regardait les gens sortir de tous les taxis qui s'arrêtaient à quelques mètres de lui. Et les gens le regardaient, car il avait vraiment l'air d'un policier en surveillance.

Six heures. Le ciel pâlissait toujours. Des autobus déferlaient dans les rues et il n'avait pas le courage de s'en aller. Il faisait quelques pas, descendait quelques marches puis les remontait.

170

— Elle n'a peut-être pas trouvé de taxi !

Et il calculait le temps que cela représentait de venir en tramway de Villejuif.

De la poitrine, de l'estomac, l'impatience tombait sur la vessie et il dut s'isoler, quitte, ensuite, à arpenter la gare en tous sens, car Alice pouvait être entrée pendant ce temps-là.

A six heures et demie, les lumières de Paris s'éteignirent toutes ensemble. Il faisait jour. Le vent emportait des bouts de papier le long des trottoirs déserts où traînaient des plaques de pluie.

M. Hire marcha, entra dans un bar. Il avait choisi le plus petit, le plus miteux, aux murs ornés de carreaux de faïence. Un coude sur le comptoir, il but du café, essaya de manger un croissant mais le repoussa à peine entamé. Quand il se retourna pour gagner la rue, il vit deux hommes qui stationnaient au bord du trottoir. Il parcourut une centaine de mètres et, faisant volte-face, aperçut les deux hommes derrière lui.

Il marcha si vite, sans savoir lui-même pourquoi, que les gens se retournèrent sur son passage. C'était comme un vertige, une panique. Il s'enfonça dans la première bouche de métro et les deux hommes le suivirent sur le quai.

La lettre était partie. A midi, elle arriverait à destination. Puisqu'elle n'était pas venue, Alice devait être occupée à placer ses bouteilles de lait devant les portes. Elle portait des sabots, le matin, mais elle les laissait au bas des escaliers pour ne pas faire de bruit et marchait sur ses chaussons de lisière verte. Elle n'était pas lavée. Elle remontait chez elle vers huit heures, pour faire sa toilette, quand elle avait servi le petit déjeuner à ses patrons. Mais, de jour, on ne l'apercevait guère à travers les carreaux sales, à cause de la lumière rare de la cour.

Le métro s'arrêtait, repartait. M. Hire oubliait de regarder le nom des stations. Pourtant, quand on fut à Italie, il descendit, tant il en avait l'habitude.

La vie de Paris avait eu le temps de naître pendant qu'il était sous terre. Des camions et des autos se suivaient à l'infini pour entrer dans la ville et les tramways dégorgeaient leur plein d'ouvriers et d'employés, d'ouvriers surtout, car les employés commencent le travail plus tard.

Qu'allait-il faire ? Alice n'était pas venue ! Il ne se demandait même pas si elle l'aimait ou si elle ne l'aimait pas. Il ne se l'était jamais demandé. Il s'était demandé seulement s'il l'aurait, à lui. Et il lui avait montré les quatre-vingt mille francs.

Ce n'était pas du cynisme, c'était de l'humilité. Or, elle n'était pas venue, malgré les bons du Trésor, et il ne comprenait plus, il perdait pied, il se souvenait sans savoir pourquoi de la gamine au tricot rayé de bleu

172

et de rouge qui l'avait regardé avec méfiance, puis avec une sorte de colère. Pourquoi ?

Il attendait un tramway pour Villejuif et il voyait toujours ses deux suiveurs. Il était triste à nouveau, non plus impatient, mais triste, d'une tristesse chaude et intime comme des larmes. C'était l'heure où, rue Saint-Antoine, il commençait jadis à accrocher les vêtements de confection sur des tringles et à arrêter les passants. A la prison, où on se lève tôt, c'était le moment de la promenade dans le préau, l'un derrière l'autre, en silence, l'oreille tendue à la rumeur de Paris qui naissait au-delà des murs.

Son pardessus était encore saturé de pluie aux épaules et le glaçait. Un tramway arriva. Il était vide comme le sont tôt matin les tramways qui s'en vont en banlieue. Le receveur reconnut M. Hire, puis regarda les deux hommes qui s'asseyaient un peu plus loin.

Le décor défila, toujours le même, la maison de produits pharmaceutiques à gauche, puis la réclame gigantesque pour un savon, puis la montée où il y avait toujours des travaux.

M. Hire se sentait tout pâle. Ses paupières picotaient, mais il n'osait pas les fermer, comme s'il eût couru le danger de s'endormir. Et, bien qu'il n'eût rien mangé, il avait comme une envie de vomir.

Il vit la rue qu'il prenait pour gagner la grande maison en pavés de faïence où la

buée des bains régnait au long des couloirs.
Cela ne lui fit aucune envie. Il ressentit
même une sorte de dégoût.

— Billet, s'il vous plaît ?

Il en avait toujours un carnet en poche, et
un carnet de tickets de métro. Il savait le prix
de chaque parcours.

— Merci.

Il lui manquait quelque chose. Il regarda
ses genoux et comprit que c'était sa serviette
de cuir noir. Cela le dérouta. Ce qui le
dérouta le plus, ce fut d'être incapable de se
souvenir, lui qui avait une mémoire prodi-
gieuse, de l'endroit où il l'avait laissée.

C'était sans importance. Elle ne contenait
rien d'intéressant. Mais il aiguilla son esprit
dans cette voie, tendit toutes ses facultés
dans ce sens.

Où l'avait-il laissée ? Pourquoi n'était-elle
pas posée à plat sur ses cuisses comme toujours ?

Au début, il devait faire un effort pour y
penser, mais bientôt ce fut une véritable
fièvre. Il voulait savoir ! Il plissait le front !
Il fronçait les sourcils ! Il pinçait les lèvres
et regardait droit devant lui d'un air féroce !

Alice descendit la première et aida la
patronne à verser le contenu des trois boîtes
à lait dans des bouteilles et à les boucher
d'un rond de papier bleu. A ce moment, la

crémerie était encore fermée, volets clos, et à moitié envahie par l'eau de pluie.

— Tu te dépêcheras de tout nettoyer avant sept heures.

Il y avait deux hommes en faction dehors et le bistro du coin, celui de droite, était déjà éclairé. Alice, de loin, reconnut au comptoir Emile qui n'avait pas dû se coucher et qui avait un petit verre de rhum à côté de son café.

Sa robe n'avait pas séché depuis la veille et tombait raide sur ses mollets. Des camions vides revenaient des halles. Du côté de la campagne, c'était plus humide que du côté de Paris, parce que les terres sont plus lentes à sécher que les pavés et que les arbres mettent des heures à s'égoutter.

Une porte s'ouvrit, au premier, comme elle déposait un litre de lait, et un homme questionna, son rasoir à la main :

— On l'a arrêté ?

— Pas encore.

La concierge l'appela alors qu'elle redescendait. Elle avait passé une nuit de cauchemar, car à chaque instant il lui semblait que sa fille ne respirait plus. Alors elle allumait, voyait le visage congestionné de la gamine, ses narines dilatées. Elle éteignait, écoutait un moment le souffle de l'enfant, mais se réveillait en sursaut un peu plus tard et tendait en vain l'oreille.

Elle était pâle. Elle s'était peignée n'importe comment.

— Ils sont toujours là ? questionna-t-elle en montrant les étages supérieurs.

— J'ai vu de la lumière.

— Il pleut encore ?

— Non. Mais il y a du vent.

Et Alice s'occupa des maisons voisines, rapporta à la crémerie, dont la patronne retirait les volets, toutes les bouteilles vides.

L'inspecteur venait de descendre et la regardait à travers la vitre avec l'air de l'attendre.

— Ils sont toujours là ! dit la patronne, tout comme la concierge.

L'inspecteur souriait, faisait des signes que la servante ne comprenait pas. Il voulait expliquer qu'il n'avait pas pu la rejoindre dans sa chambre mais que ce n'était que partie remise. Il avait les joues grises de barbe. Soudain le patron du bistro, en tablier bleu du matin, le rejoignit et l'entraîna vers son débit.

— Tu peux éteindre, maintenant ! cria la crémière, de l'arrière-boutique.

Il faisait à peu près clair. Seul le bistro et les tramways restaient éclairés. De loin, Emile devait apercevoir Alice derrière la vitrine et elle le vit, de son côté, commander un second café arrosé.

Puis ce fut l'inspecteur qui revint en courant, trouva la servante sur le seuil, dit en passant :

— Il arrive !

— Qu'est-ce que c'est ? glapit la crémière.

— M. Hire va arriver !

La concierge était sur le seuil, les yeux inquiets, courte sur jambes, cherchant Alice.

— Je crois qu'ils vont l'arrêter ! Et moi qui attends le docteur !

Des portes s'ouvraient et se fermaient dans la maison. Le locataire du premier regarda dans la rue, des deux côtés.

— C'est vrai qu'il arrive ?

— Attends-moi, Georges ! criait une voix d'en haut.

Et le boucher sortait du bistro, parlait à quelqu'un qui lui offrait une cigarette, s'approchait avec lui de la maison et s'arrêtait à quelques pas de la porte. La concierge le regarda avec inquiétude.

— Qu'est-ce qu'il y a ?

— On va l'arrêter !

Il arrêtait, lui, une camionnette qui longeait le trottoir, conduite par un de ses copains.

— Viens voir par ici !

Une femme descendait, puis une autre.

— C'est vrai ?

— Quoi ?

— On a la preuve. Ils ont retrouvé le sac à main. On va l'arrêter !

On voyait, de la porte, un policier à l'arrêt des tramways et un autre qui semblait vouloir boucher la rue transversale.

— Alice ! Il faut ramasser l'eau.

— Je viens.

Elle rentra à regret, prit un torchon derrière la porte du fond et plongea dans l'eau froide ses mains qui rougirent. L'inspecteur, qui avait rejoint le commissaire là-haut, redescendait aussi vite qu'il était monté.

— Pas d'attroupements, je vous prie ! Il n'y a rien à voir. Rien du tout !

Ils étaient dix, maintenant, puis douze, et voilà qu'il en arrivait encore du bistro et d'ailleurs. Emile s'approchait en fumant sa cigarette, mais se tenait derrière le groupe comme s'il eût désiré ne pas être vu.

Les chauffeurs, en passant, tournaient la tête et se demandaient ce que signifiait cette foule alors qu'on ne voyait aucune trace d'accident. L'agent de la circulation faisait son service, les yeux rivés à la maison.

— Je vous en prie ! criait l'inspecteur qui ne parvenait pas à être écouté. Vous allez faire tout rater.

Le commissaire était seul dans la chambre de M. Hire. Le sac à main était sur la table. De là, on n'entendait que le bruit des autos sur la route et une femme qui hurlait des injures parce que ses enfants ne s'habillaient pas assez vite.

— Dispersez-vous ! Vous compromettez l'action de la police.

Un tramway arrivait. L'agent en faction fit un geste de la main que tout le monde comprit en même temps que l'inspecteur.

— Le voilà !

Alice lavait le seuil et continua à promener son torchon sur la pierre bleue.

11

L'inspecteur courait dans l'escalier pour aller prévenir son chef quand on vit M. Hire contourner le tramway. De loin, il paraissait tout petit, tout rond, tout noir, avec un visage blême que coupaient ses moustaches d'encre.

Deux hommes marchaient derrière lui, si près qu'ils semblaient le soutenir. Et M. Hire, comme pour leur échapper, agitait ses petites jambes.

Il avait aperçu le rassemblement. Il ne pouvait pas ne pas l'avoir aperçu à cette heure où les passants étaient rares. Il s'arrêta au bord du trottoir. Il était tout seul à vouloir traverser, avec les deux policiers sur ses talons, et pourtant l'agent de la circulation donna un coup de sifflet et arrêta, du bâton, la file des véhicules.

Il s'avança. Il marchait dans un nuage, dans une matière molle, impalpable, invisible. Il n'y avait sur sa rétine que le seuil de la maison, et des gens groupés qui regardaient tous du même côté. Et il n'entendait que le pas des deux hommes derrière lui.

Ils étaient soudain plus nombreux, sur le trottoir. Il en venait de l'intérieur et du dehors, des hommes et des femmes, et même des enfants qu'on refoulait vers l'arrière.

— Reste là, tu entends ?

Et M. Hire marchait toujours, sans oser regarder la crémerie, ce qui ne l'empêchait pas de deviner la silhouette penchée d'Alice qui promenait son torchon sur le seuil. Il bombait la poitrine. Il allait s'expliquer. Il avait une narine bouchée par un rhume et il respirait mal, mais c'était sans importance.

Ce qu'il fallait, c'était passer, et il y avait un vide étroit entre les gens et la porte. Il lui suffisait de presser le pas.

Il en fit dix, il en fit quinze, de pas. Puis tout à coup, il vit un geste tout près de lui et en même temps son chapeau melon vola de sa tête tandis que des ricanements montaient du groupe.

Il eut tort. Mais ce fut sans réflexion, par instinct, qu'il essaya de ramasser son chapeau. Alors un pied envoya ce chapeau rouler plus loin et, comme par hasard, atteignit en même temps le visage de M. Hire, qu'il salit et meurtrit.

Ce fut un choc pour les deux camps, un choc pour M. Hire qui se releva en promenant sur la foule un regard égaré, un choc, ou plutôt un signal, pour les spectateurs.

M. Hire vacillait et faillit frôler une femme de son coude. L'homme qui était le plus près en profita pour le repousser d'un coup de poing.

Or, les coups de poing faisaient un drôle de bruit sur la chair de M. Hire, un bruit si excitant qu'ils eurent tous envie de l'entendre.

Il avait perdu l'équilibre, le sens de l'orientation. Il se haussait sur la pointe des pieds, parce qu'ils étaient presque tous plus grands que lui, et il se protégeait le visage d'un bras replié.

— Allons ! Laissez-le ! intervenait un policier.

Mais ils étaient trente au moins à l'empêcher d'avancer. M. Hire était collé contre la pierre de taille qui servait de montant à la porte. Il reçut un caillou sur la main et saigna. Un pied heurta violemment son tibia.

Une rumeur montait de cette foule à laquelle il cachait toujours son visage avec la manche noire de son pardessus.

Il ne voyait rien. S'il recula, ce fut poussé par quelque chose, par des poings ou par des pieds. Il sentit sous sa main le battant de la porte, sous ses pieds les pavés du couloir.

Il se mit à fuir de toute la vitesse de ses jambes, bondit sur les marches de l'escalier, voulut pousser une porte à demi ouverte qui se referma devant lui.

La rumeur le suivait. Les gens montaient derrière lui et il courait toujours, haletant, le regard fou. Les murs, la rampe, les portes avaient un aspect inconnu. Ce qu'il cherchait, c'était une issue, et il ne savait plus combien d'étages il avait déjà franchis.

Une porte s'ouvrit et il ne reconnut même pas la sienne. Un homme essaya de lui barrer le passage, mais il passa entre ses jambes, il n'eût pas pu dire comment. Il montait toujours, dans un décor nouveau pour lui. Jamais il n'était monté aussi haut. Une vieille femme tremblait, penchée sur la rampe, et joignit les mains.

Il la bouscula, entra chez elle. L'escalier n'allait pas plus loin. Il y avait un fourneau, une table, un lit défait.

— Tuez-le !

On disait cela. On hurlait des tas de choses. Il y avait un vacarme universel et une voix forte qui essayait de le dominer :

— Laissez-le ! Laissez faire la police !

Ce qu'il réalisa alors, il ne l'eût jamais tenté de sang-froid. Au-dessus de sa tête, il y avait une lucarne dans le plafond en pente. Il s'y suspendit. Du zinc lui coupa les mains, mais il gigota, balança les jambes, en accrocha une au rebord de la lucarne. Il était sur le toit au moment même où on envahissait la mansarde tandis que la vieille hurlait à la mort.

Un drôle de toit ! Il écarquillait les yeux.

Il avait peur. Des ardoises étaient sèches, d'autres mouillées. Toutes étaient terriblement en pente et on ne voyait rien qu'un terrain vague, très loin, au-delà du bord.

Un bon moment il resta en équilibre, les bras écartés, les prunelles folles. Une main passa par la lucarne et essaya de lui saisir la jambe. Recula-t-il ? En tout cas, il tressaillit et tomba en avant, glissa, glissa, se raccrocha des deux mains à quelque chose qui oscillait.

Alors, il poussa, de toutes ses forces vives, un cri qui n'était plus un cri d'homme et qui lui déchirait la gorge. Ses pieds, son corps étaient dans le vide. Ses mains lui faisaient mal. On tirait sur ses bras.

Il remuait les jambes. Il voulait trouver un appui. Et ses pieds ne rencontraient rien, son corps s'étirait, ses bras allaient casser.

Il ne hurlait plus. Il retenait son souffle. Il regardait, tout contre lui, le mur de brique et, juste au-dessus, la corniche de zinc à laquelle ses doigts se coupaient.

Elle cédait, la corniche ! Elle s'incurvait ! Elle descendait de quelques millimètres. Et on parlait au-dessus, sans doute à la lucarne.

On ne menaçait plus. C'étaient des voix basses, anxieuses.

Tout allait casser ! Il n'osait pas regarder en dessous de lui. Et ses mains étaient si moites qu'elles glisseraient d'une seconde à l'autre. Tout son sang s'était figé. Il ne bougeait plus. Il ne voyait plus que ses mains, ses mains à lui, méconnaissables tant les veines se gonflaient, et il respirait du feu.

Pour mieux voir, ils avaient reculé jusque dans le terrain vague d'en face et les autos continuaient à passer sur la piste, entre eux et la maison. On distinguait le toit en pente raide, avec ses plaques de pluie, des têtes à la lucarne et même le torse d'un agent en uniforme qui émergeait.

La façade de brique neuve était lisse, sans une saillie. Toute une partie de la corniche avait cédé sous le poids de M. Hire, pendait comme une guirlande avec le corps au milieu, si rigide, maintenant, qu'on eût pu le croire mort.

Le commissaire était au centre des gens qu'il ne voyait même pas. L'agent, là-haut, lui adressait un signe et son chef, du bras, avec des gestes de sémaphore, lui signifiait que non.

Il était impossible à l'agent de descendre sans rouler à son tour sur la corniche qui céderait tout à fait.

On devait aller et venir, dans la maison. Chez la vieille femme de la mansarde, il y avait un groupe actif, un autre groupe dans le terrain vague.

Une première auto s'arrêta en voyant le

corps noir qui pendait au-dessus du vide. Puis il y en eut d'autres.

— Avertis les pompiers, commanda le commissaire.

Une fenêtre s'ouvrit, juste en dessous du corps. M. Hire devait voir un homme à deux mètres de lui, mais cet homme ne pouvait rien faire et il lui dit à tout hasard :

— Tenez bon !

On avait trouvé une corde quelque part. L'agent, aidé du plombier de la veille, la faisait descendre le long du toit. Par gestes, le commissaire lui commandait de loin :

— A gauche !... Encore !... Pas tant que cela. Oui !...

Et la corde s'étirait comme une bête, atteignait la corniche, passait devant le visage de M. Hire. Mais il ne la saisissait pas. Peut-être qu'il n'osait pas lâcher prise ? Il craignait de ne pouvoir se maintenir, ne fût-ce qu'une seconde, avec une main ?

La vie du carrefour s'arrêtait. Les autos bouchaient le passage. L'agent regardait en l'air comme les autres et parfois, très loin, des automobilistes qui ne savaient pas cornaient d'impatience.

Malgré tout, cela ne faisait, par terre, que quelques taches noires, quelques groupes compacts avec, autour, des isolés qui circulaient dans le vide.

— Les pompiers viennent ?

— Trois minutes.

Sur le trottoir, en dessous de M. Hire, il n'y avait personne.

Le docteur, qui venait d'arriver, se tenait au coin de la rue où la concierge l'avait rejoint.

— Est-ce qu'on pouvait imaginer ça ?

Alice était dans le terrain vague, à deux mètres de l'inspecteur qui trouvait de temps en temps le moyen de lui sourire.

— Ah !... faisait la foule quand le pardessus de M. Hire remontait davantage sur sa nuque.

On croyait qu'il allait lâcher. On voyait son corps frémir, se ramasser, se détendre. Quelquefois ses jambes s'écartaient, puis ses genoux se serraient convulsivement et la corde pendait toujours à dix centimètres de son nez.

On ne voyait pas son visage : rien que son dos, ses jambes, ses jambes surtout, qui ne restaient jamais en place et qui cherchaient désespérément un appui.

Tout près d'Alice aussi, il y avait Emile, les mains dans les poches, le visage maladif et froid. Elle le regardait, mais il ne la voyait pas. Il y avait de la fièvre dans ses yeux. Il se faisait mal au cou à force de regarder en l'air, tandis qu'elle s'occupait des gens.

On entendait citer des chiffres.

— La maison a vingt-trois mètres.

Et jamais les murs n'avaient semblé si nus, si hauts, si lisses, le trottoir si compact. Une

186

sonnerie traversa la masse des voitures arrê-
tées, mais c'était l'ambulance qui arrivait
avant les pompiers et qui s'arrêtait juste
devant la porte, à cinq mètres à peine de
l'endroit où M. Hire devait tomber.

Tout le monde fut soulagé quand enfin on
reconnut la cloche des pompiers. Puis tout
le monde fut crispé, car on devina que c'était
la fin. Peut-être même certains souhaitaient-
ils secrètement que le drame eût lieu quand
même ?

M. Hire, inerte, se balançait d'une façon
imperceptible, comme sous l'action du vent.

Sans s'inquiéter des spectateurs ni de la
police, les pompiers prenaient possession du
carrefour. Ils étaient vingt, ils étaient trente
à s'agiter autour d'une machine peinte en
rouge et une échelle en sortait, montait,
s'allongeait, atteignant le troisième, le quatrième étage.

Tout blanc, Emile regardait toujours en
l'air et sa main tremblait dans sa poche où
elle étreignait un briquet.

Alice l'observait, puis observait l'inspecteur, puis, parfois, rarement, elle risquait un
coup d'œil vers le ciel glauque dont la cru-
dité faisait mal aux yeux et vers la façade de
brique.

Un pompier casqué de cuivre s'élança
dans le vide, sur l'échelle, avant même
qu'elle fût tout à fait déployée. Elle pliait
sous son poids comme dans un numéro de

cirque. Le dernier tronçon s'étirait et les pieds de M. Hire s'écartaient une fois de plus, se rapprochaient, sa tête se tournait à demi, découvrant une moitié des moustaches.

On se tut, à part une grosse auto qui s'obstinait à se faufiler. Ceux qui étaient à la lucarne ne voyaient rien et faisaient des signes pour demander des renseignements.

Le pompier s'approchait. Deux mètres. Un mètre. Trois échelons. Deux. Un...

Il entoura de son bras la taille de M. Hire et on comprit qu'il devait faire un effort pour que celui-ci lâchât prise. Pendant qu'il descendait les premiers échelons, le corps bougeait encore, se révoltait, eût-on dit, puis il mollit.

Plus bas, l'échelle oscillait moins. A la fin, elle était aussi ferme qu'un escalier et tout le monde se précipita en même temps tandis que les policiers essayaient de joindre leurs bras pour former barrage.

Deux marches. Une marche. Le pompier était à terre avec son fardeau. La tête pendait. La main d'Alice avait retrouvé, dans la foule, le poignet d'Emile. On osait à nouveau murmurer, puis parler. La rumeur montait.

— Silence !

Et on couchait à terre, au bord du trottoir, le corps inerte de M. Hire, tandis que le médecin de la concierge se faufilait. Le visage était couleur de cire. Le gilet avait remonté, laissant voir la chemise rayée et les bretelles.

Alors on n'entendit plus que le treuil qui ramenait les échelles les unes sur les autres.

— Il est mort. Arrêt du cœur... dit le médecin en se redressant.

Il n'y eut pas que le commissaire à entendre. Des gens se penchaient. Il n'y avait plus de M. Hire. C'était un mort, à qui on venait de fermer les yeux. Il avait encore des traces de sang rouge dans ses mains ouvertes.

— Faites circuler ! Amenez l'ambulance !

Celle-ci corna et la foule s'ouvrit à regret. La concierge était derrière tout le monde et ne savait que faire. Elle allait et venait derrière les dos sans oser s'approcher.

Emile, lui, avançait progressivement, arrivait au troisième, au deuxième rang, et ses petits yeux vifs vrillaient son maigre visage.

Parfois, la main d'Alice se serrait sur son bras. Il ne bronchait pas. Il regardait. Il voulait tout voir. On hissait le corps sur une civière et deux hommes la soulevaient.

— Emile ! souffla la servante.

Il la fixa, froidement, étonné qu'elle fût là.

— Qu'est-ce que tu as ?

Il détourna la tête.

— Tu es jaloux ? Tu crois que...

Et, ardente :

— Ce n'est pas vrai ! Je n'ai eu besoin de rien faire, Emile, je le jure !

Elle appuyait son sein sur son bras.

— Tu ne me crois pas ? Tu penses que je mens ?

Il se dégagea pour prendre une cigarette et l'allumer. Les gens s'écartaient. L'ambulance cornait avant de démarrer. Le flot d'autos reprenait son cours.

— Je le jure ! répéta-t-elle.

Et elle voyait à trois pas d'elle la vitrine de la crémerie, sa patronne qui l'attendait. L'inspecteur présidait à cette débâcle de la foule et elle passa près de lui, mais il ne lui sourit pas. Il avait la peau mate, les sourcils froncés.

Tout le monde s'en allait honteusement ! La voix de la concierge, qui courait à côté du docteur, disait :

— Je me demande si ce n'est pas le croup et...

— Voilà ! s'écria Alice en entrant dans la boutique et en enlevant le seau et le torchon qu'elle avait laissés sur le seuil. Je ne peux pas être de deux côtés à la fois !

Le pompier expliquait, à bord de l'auto rouge qui fonçait vers Paris :

— Il a molli dans mes bras, là-haut, comme si, tout à coup, il avait été pris de vertige. J'ai bien senti que c'était fini.

Et on s'agitait, à Villejuif, parce que tout un petit monde était en retard de deux heures.

Composition réalisée par JOUVE

Imprimé en France sur Presse Offset par

BRODARD & TAUPIN

GROUPE CPI

La Flèche (Sarthe).
N° d'imprimeur : 16497 – Dépôt légal Édit. 29177-01/2003
LIBRAIRIE GÉNÉRALE FRANÇAISE - 43, quai de Grenelle - 75015 Paris.

ISBN : 2 - 253 - 14295 - 6   ⊕ 31/4295/7